Pour Delacroix

ISBN 2-87027-193-X
Dépôt légal D/1638/86/16

Baudelaire

Pour Delacroix

Edition établie
par Bernadette Dubois

Préface de René Huyghe
de l'Académie française

Le Regard Littéraire

Editions Complexe

Préface

Le poète à l'école du peintre

par

René Huyghe

de l'Académie française

Que Baudelaire ait été un de nos plus grands critiques d'art, le plus grand presque à coup sûr, c'est chose reconnue. Non seulement son jugement s'est montré presque infaillible à l'égard des contemporains, mais on y sent une sorte d'impatience d'aborder des formes d'art qui ne devaient s'épanouir qu'après sa mort et avec la génération des impressionnistes. Sa conception si neuve du modernisme semble annoncer, bien plus encore que Manet, qu'il connut, des artistes comme Degas ou Lautrec ! Faut-il ne voir là que l'infaillibilité d'un système sensible exacerbé et d'un goût formé depuis l'enfance ? Ou bien la conception même qu'il se fit de l'art fut-elle assez souple et neuve pour lui permettre de dépasser le jugement de ses contemporains ?

Ses commentateurs soulignent davantage en lui les dons intuitifs que la conception réfléchie d'une esthétique. Lui-même semble leur donner raison à l'avance quand il confesse, dans son compte rendu de l'Exposition de 1855 : « *J'ai essayé plus d'une fois, comme tous mes amis, de m'enfermer dans un système pour y prêcher à mon aise... Toujours un produit spontané, inattendu, de la vitalité universelle venait donner un démenti à ma science enfantine et vieillotte.* » Mais quel homme doté du sens de la vie et de ses infinis rebondissements, ne se ferait d'identiques réserves, alors même que son intelligence, par ailleurs, lui permet de dégager de la multiplicité des faits quelques constatations générales et d'y tracer des voies directrices ?

Or il suffit d'avoir fréquenté assidûment Baudelaire et ses textes sur l'art pour avoir perçu, comme en un tableau impressionniste derrière la fragmentation des touches, la forme générale et constante de sa pensée.

A vrai dire, dans son premier *Salon*, celui de 1845, il se borne à des notations, souvent fines et justes, enregistrées successivement et au passage, devant les œuvres qui retenaient son intérêt. Mais, l'année suivante, dans *Le Salon de 1846*, le contraste est frappant : il n'a que 25 ans et pourtant il semble avoir acquis une maturité soudaine, une expérience étendue, qui le mettent en mesure d'esquisser une philosophie de l'art ou, tout au moins, ce qu'un contemporain a appelé justement le « catéchisme de l'art moderne ». Brusquement, diraiton, vient de se condenser, en un exposé fragmentaire mais magistral, la manière nouvelle de concevoir l'art, son but, ses méthodes, que l'effort révolutionnaire poursuivi par le XIXe siècle réclamait, impliquait, et qui soudain trouve une voix pour s'exprimer. Cette pensée revêt pour nous une importance d'autant plus considérable qu'elle prépare les mouvements ultérieurs qui constitueront l'apport novateur de l'art contemporain. Comment Baudelaire a-t-il pu franchir un pas aussi décisif en aussi peu de temps? J'ai essayé de le montrer ailleurs, dans un cours au Collège de France : seule la rencontre avec Delacroix et avec sa pensée déjà longuement mûrie peut rendre compte de ce progrès. Il n'est loisible en ces quelques pages que de résumer brièvement ce travail où je m'efforçais de dégager et analyser les théories latentes dans l'esprit de Baudelaire comme dans celui de Delacroix[1].

Avant sa rencontre avec l'artiste qui devait fixer sa plus profonde admiration picturale, le poète avouait, de longue date, la vocation qui l'entraînait vers l'art. Il a dit et répété maintes fois son « goût

[1] Dans le chapitre « L'Art et l'Individu » pages 423 à 450 de *L'Art et l'Ame* on en trouvera quelques éléments.

permanent depuis l'enfance de toutes les représentations plastiques ». Dans une note souvent citée de *Mon cœur mis à nu*, il se donne pour mission de « *glorifier le culte des images (ma grande, mon unique, ma primitive passion)* ». Sa « sensibilité aux images » fut développée par ce père, disparu tôt, dont il garda un nostalgique souvenir. François Baudelaire le conduisit très jeune, à coup sûr, au musée du Luxembourg, ouvert depuis peu d'années.

A l'automne de 1843, Baudelaire, dont la jeune ambition s'était essayée dans des milieux différents, avait quitté la rue Vaneau pour se loger au 17, quai d'Anjou, en cet hôtel de Pimodan, qu'on nomme souvent hôtel Lauzun, du nom de son plus illustre habitant, et que Roger de Beauvoir allait découvrir et lancer l'année suivante.

Baudelaire, comme Théophile Gautier, a évoqué les fameuses séances du club des haschischins qui eurent lieu au second étage chez le peintre Boissard de Boisdenier, ancien élève de Gros. Ces séances, où la drogue orientale initia les intellectuels audacieux de l'époque aux vertiges des paradis artificiels, furent moins nombreuses sans doute qu'on ne l'a cru parfois. Or Delacroix, qui, comme Balzac, se gardait de tels excès, y vint à plusieurs reprises, pour entendre les concerts où le violon de Boissard faisait merveille. Sans doute fut-ce là le premier lieu de rencontre du peintre et du poète.

Celui-ci était déjà fasciné par celui-là. Il s'était, en effet, lié avec le peintre Émile Deroy, qui exécuta alors son portrait du musée de Versailles, avant de mourir prématurément, et qui était un fervent du maître des *Massacres de Scio*. Aussi Baudelaire, à côté de ce portrait, où, barbu, il fait figure de Musset brun, avait-il accroché sur ses murs une copie des *Femmes d'Alger*, exécutée elle aussi par son ami; l'ensemble se complétait d'une série des lithos d'Hamlet, du moins des treize premières, éditées de 1834 à 1843. Près de ces œuvres figurait une toile de Delacroix, intitulée *Tête renversée*, que Baudelaire vendit et racheta maintes fois. « Nul, à moins de l'avoir vue, dit le poète, ne peut imaginer ce que l'artiste a mis de poésie intime, mystérieuse et romantique dans cette simple tête »; il parlait de la *Madeleine*, exposée au Salon de 1845, mais la description semble bien correspondre à la toile accrochée sur les murs de l'hôtel Pimodan. Je crois l'avoir identifiée (car il n'y manque même pas en haut le pan de ciel bleu, mentionné par ce texte) avec la peinture que j'ai sortie de l'inédit, en la reproduisant à la page 439 de *L'Art et l'Ame*.

Tout semble indiquer que c'est aux environs du Salon de 1845, et peut-être en prenant prétexte de cette publication, que Baudelaire réussit à se faire ouvrir les portes jalousement fermées de l'atelier de Delacroix, établi alors rue Notre-Dame-de-Lorette. « *Grâce à la sincérité de notre admiration,* a-t-il confié, *nous pûmes, quoique très jeune encore, pénétrer dans cet atelier si bien gardé.* »

Delacroix franchissait à ce moment une étape essentielle de sa vie et l'orientation de sa pensée en subissait le contrecoup. La phase ardente et romantique de son existence allait s'achever; plusieurs épreuves modifiaient ses façons de sentir et de penser. C'était d'abord l'ébranlement de sa santé, les crises de gorge qui précisaient le mal qui allait finir par l'emporter, les inquiétudes qu'il éprouvait pour sa vue, à la suite d'un accident de voiture, que ses historiens n'ont jamais mentionné, mais dont la cicatrice resta dissimulée sous le sourcil. C'était encore un deuil qui l'avait affecté profondément : la mort, en 1845, de son frère le général Delacroix. Enfin les amitiés de sa jeunesse, d'abord ferventes, s'éteignaient parfois dans l'amertume, en même temps que sa vie amoureuse semblait se clore.

Sa sensibilité et sa pensée avouaient le contrecoup : alors que le romantique était apparu surtout en lui tant que l'enthousiasme juvénile l'avait soutenu, il redécouvrait dans les profondeurs de sa nature les fondations traditionnelles et solides. Ce qu'on a pu appeler son classicisme se dégageait. Au salon de 1845, Baudelaire signalait sa *Sybille au rameau d'or* que Delacroix a décrite « montrant au sein de la forêt ténébreuse le rameau d'or, conquête des grands cœurs et des favoris des Dieux ». Vers le même temps, Delacroix entreprenait ses vastes œuvres décoratives, que n'avait précédées, jusqu'ici, que le Salon du Roi à la Chambre des Députés. Sa pensée venait d'atteindre la maturité et la plénitude. C'est le moment où Baudelaire fut admis à la partager. L'impression, nous le savons, fut profonde sur le jeune homme qui abordait avec un respect intimidé un maître dont il venait de faire l'éloge lyrique

Les témoignages épars dans divers textes de Baudelaire convergent pour souligner l'importance décisive que cette rencontre eut sur sa formation esthétique. Lui-même, après la mort du peintre, a répété, dans sa lettre au rédacteur de *L'Opinion Nationale,* « *les mots que*, dit-il, *j'ai écrits autrefois presque sous la dictée du maître* ». Delacroix, de son côté, a pris des notes sur la faculté qu'avait Diderot d'ouvrir d'emblée le fond de sa pensée à un jeune visiteur dont l'intelligence l'attirait; sans doute faisait-il alors un retour sur lui-même et peut-être sur l'accueil semblable qu'il avait réservé au jeune Baudelaire. Ainsi s'explique qu'en quelques semaines, à ce contact, la pensée esthétique de Baudelaire, encore hésitante et nourrie d'impressions, ait pu se constituer en un ensemble de vues cohérentes parfaitement en harmonie avec celles de Delacroix. Le *Salon de 1846* allait dès lors pouvoir en témoigner.

Leur formation intellectuelle était analogue : élèves de Louis-le-Grand, à quelques années de distance, profondément pénétrés par la leçon des humanités classiques, ils montraient déjà, cependant, par la manière différente dont ils dirigeaient leurs goûts, la dissemblance de leurs deux natures. Autant Delacroix aimait le classicisme le plus exigeant, autant Baudelaire s'attachait aux accents nouveaux des décadences. Qu'ils jugent l'antiquité, les maîtres du XVIIe siècle ou ceux du XVIIIe, dont, au fond, ils sont issus, le contraste est toujours le même. Delacroix va vers Homère ou Virgile; Baudelaire vers la latinité à son terme, déjà toute asiatisée, qu'il essaie de ressusciter, précisément en 1846, dans ce *Jeune Enchanteur* dont on a montré, récemment, qu'il était un emprunt à la littérature hellénistique.

Ils pouvaient pourtant se rencontrer : Delacroix, dans ses *Questions sur le Beau* et ses *Variations du Beau*, maintient la notion de perfection, à laquelle il est profondément attaché, mais il admet que l'époque où vit l'artiste, ainsi que sa nature personnelle, lui imposent une donnée particulière qu'il doit accepter et porter jusqu'à la beauté; cette donnée inéluctable lui interdit tout pastiche des époques dont, par ailleurs, il peut regretter l'idéal perdu. Ainsi s'explique que Delacroix, classique par conviction, ait pu aux yeux même de Baudelaire, apparaître si véhémentement romantique.

Ce qui pour Delacroix est une concession, souvent nostalgique, devient, en Baudelaire, homme de la génération suivante, une vocation dont il s'enthousiasme et d'où naîtra son dogme de la modernité. Ainsi se précise entre eux la communauté de deux générations proches, marquant néanmoins les étapes diverses de la même évolution. Ils sont comme les versants d'un toit aux pentes opposées unies cependant par un faîte commun.

Leurs positions historiques n'impliquaient-elles pas le même contraste ? Ils sont des « enfants du siècle », semblablement, mais alors que Delacroix, frère de deux héros de l'Empire, porte encore en lui le rêve enivrant dispensé par l'épopée et se borne à le transporter de la réalité de l'action dans le mythe de la création, Baudelaire accuse une étape de plus : celle où l'élan est retombé, celle où l'exaltation épuisée tourne à la lassitude, au désespoir, au blasphème, thèmes familiers de sa poésie. C'est bien toujours la même courbe, mais à ses moments successifs.

Ainsi se trouvait préparé entre eux un terrain d'entente. Ce qui les relia vraiment, ce fut leur commune appartenance à une même famille spirituelle, dont le rôle est peut-être encore à dégager pleinement : il lui a manqué d'être désignée, comme le classicisme ou le romantisme, par une étiquette caractéristique. Faute de mieux, on doit la rattacher au dandysme, à condition de donner à ce mot son sens le plus large.

A l'écart des classiques, qui se soumettent à des règles générales, comme des romantiques, qui exaltent les forces passionnelles les plus débridées, il faut donner sa place à ce courant proprement individualiste, qui, au XIXe siècle, s'organisa en un véritable culte de la personnalité, prenant conscience de toute l'étendue de ses ressources, mais aussi de ses devoirs envers elle-même.

On voudrait avoir le temps de retracer le cheminement de ce courant qui, préfacé par Montaigne et par Pascal, puis par Chateaubriand aboutit à Stendhal, compagnon familier de Delacroix avec Mérimée, et à Vigny, pour trouver enfin son expérience lucide en Barbey d'Aurevilly, qui publia précisément *Du Dandysme* en cette année 1845 où se nouaient les relations de Delacroix et de Baudelaire.

Le Moi, l'expression du Moi, devient le ressort principal de la création littéraire ou artistique. « Me peindre à moi-même », disait Montaigne. « Rendre compte à moi-même de moi-même », énonçait Chateaubriand. Cette donnée initiale engendra au XIXe siècle la solitude, le doute, l'ennui, cette « volupté de la mélancolie », dont a parlé Senancour, voire le désespoir, tous ces thèmes du romantisme qui, à des degrés divers, se rencontrent dans le *Journal* de Delacroix aussi bien que dans les *Journaux intimes* de Baudelaire. Mais, alors que le romantique se laisse dévorer par ces forces déchaînées et s'y abandonne, le dandy y adjoint un sens de la dignité et même de l'héroïsme fondé sur la grandeur individuelle. Sans doute était-ce le contrecoup de l'extraordinaire aventure de Napoléon, individu d'exception, qui, comme le dit Julien Sorel, « s'était fait le maître du monde ».

Ainsi naquit un modèle psychologique qui avait « l'âme de feu » (pour reprendre l'expression de Barbey) du passionné, mais y joignait une tête froide et lucide pour la diriger. Cette dualité qui explique si bien Delacroix, et qui a d'ailleurs frappé ses contemporains jusque dans son apparence physique, résout l'antinomie du classique et du romantique, puisqu'elle permet d'unir la pensée directrice du premier et la force d'émotion du second. « Blasé mais passionné », dit, en effet, Barbey d'Aurevilly de l'un de ces héros. Cela nous rapproche de Baudelaire qui, gardant toujours le même écart, n'aura plus de l'énergie que la nostalgie et se contentera de dominer la passion par sa seule lucidité froide. Là encore, il se situe à la retombée de la trajectoire qui venait de porter Delacroix à son sommet.

Delacroix fut un des premiers à savoir unir le double héritage de l'individualisme français et du dandysme anglais dont la fusion trouvait un modèle en Byron, qui contribua si puissamment à la formation de ce nouveau type d'homme. C'est que, à un degré rare, Delacroix joignait à sa culture classique une influence de l'Angleterre, dont il avait appris la langue dès 1816 et qu'il avait visitée en 1825, ne rapportant pas seulement « le goût des coupes anglaises » qu'à en croire Baudelaire il contribua un des premiers à acclimater dans la mode d'alors, mais toute une conception nouvelle de l'ardente dignité de l'individu.

Baudelaire, à qui sa mère, née à Londres pendant l'émigration, avait enseigné l'anglais « de naissance », a-t-il dit, révéla vite à ses jeunes condisciples « des affectations byroniennes », au témoignage de l'un d'eux : nouvelle rencontre avec Delacroix ! Il a su communier avec celui-ci, dans le culte de l'individu, de son isolement et de sa grandeur; comme lui il l'a drapé dans un dandysme presque britannique de la mise, qu'il aima d'abord affectée, puis d'une sobre correction. Ici le rapport entre eux devient essentiel et explique que Baudelaire ait senti d'emblée en Delacroix un modèle prédestiné, qu'il se soit attaché à recueillir sa haute leçon et que tous deux aient pu concevoir et formuler une esthétique de l'individualisme, qui avait pour base première cette éthique qui les pénétra profondément.

Tous deux voulaient promouvoir « toute une manière d'être », pour reprendre les termes de Barbey d'Aurevilly, précisant bien que l'éthique et l'esthétique trouvaient leur point de rencontre dans « cette haute question d'art humain et d'esthétique sociale : l'élégance de la vie ». Elle exige de concilier les « mouvements les plus impérieux de la passion » et la maîtrise de soi, en sachant « s'observer », selon le programme esquissé par Mérimée. Et, en effet, à en croire Rivet, le peintre sous « une contenance un peu froide et réservée », à en croire Gautier, le poète sous sa « froideur britannique », son « sang-froid de glace », surent contenir une âme tumultueuse et brûlante. Vigny, de même, ne parlait-il pas de la « sensibilité la plus extrême, enfermée dans le coin le plus secret du cœur » ?

Pour parvenir à cet idéal, Baudelaire le proclame, il est nécessaire de « fortifier la volonté et discipliner l'âme », par un « culte de soi-même », comportant autant d'exigence que de complaisance, et qui « confine au spiritualisme et au stoïcisme ». Ainsi pouvait-on espérer créer une « espèce nouvelle d'aristocratie », celle de l'esprit.

Tous deux ont commencé, pour affirmer les droits de l'individu, par s'insurger contre la société établie et ses règles opprimantes. Delacroix, en 1830, célébrera par le pinceau la *Liberté sur les Barricades*, de même qu'en 1848, Baudelaire, exalté, sera vu le fusil à la main. Mais, très vite, l'un et l'autre s'aperçurent que leur insurrection avait pour but essentiel « *de combattre et de détruire la trivialité* » (Baudelaire). Aussi ces « représentants de ce qu'il y a de meilleur dans l'orgueil humain » condamnèrent-ils bientôt le triomphe de la majorité qui, dans la démocratie montante, leur paraissait menacer encore plus gravement l'individu.

Tous deux vitupéreront, en effet, « l'erreur fort à la mode », que réprouvait Delacroix, cette notion du « progrès indéfini » exaltée par les romantiques. Tous deux, presque dans les mêmes termes, ont mis en garde contre l'amélioration matérielle, distincte de l'ascension morale, et engendrant au contraire une régression. Ils ont dénoncé cette solution collective du problème du bonheur car « *il ne peut y avoir de progrès (vrai, c'est-à-dire moral) que dans l'individu et par l'individu* » : telle est la conviction de Baudelaire. Et celle de Delacroix, la voici : « J'ai beau chercher la vérité dans les masses, je ne la rencontre, quand je la rencontre, que dans les individus. » Pour eux, contrairement à l'idée de J.-J. Rousseau, l'homme est naturellement mauvais et ne se surmonte que par l'effort.

Toutefois si Delacroix, à l'occasion, parle de « tache originelle » (voir le *Journal* du 26 octobre 1840), ce n'est, observe Baudelaire, que « par le simple bon sens qu'il faisait un retour vers l'idée catholique ». Lui, au contraire, en était imprégné; consciemment, sous l'influence de Joseph de Maistre, il appuyait sa conviction sur le dogme raisonné du « péché originel ». Par là ils se séparaient. Quand Baudelaire, aux environs de 1860, projettera un livre sur le *Dandysme littéraire*, il ne le rattachera plus à Byron, auquel Delacroix était resté fidèle, mais à la lignée des écrivains conservateurs et catholiques : Chateaubriand, « père des dandies », Maistre, Custine, puis Molènes et Barbey. On a montré, d'ailleurs, que le courant propulsé par Chateaubriand avait éclipsé Byron définitivement aux environs de 1840. Si leurs convictions morales, tout en assurant à Delacroix et à Baudelaire une base commune, les menaient pourtant à un divorce, leurs convictions artistiques, participant au demeurant du même esprit, se rejoignaient bien plus étroitement. C'est que la sensibilité du grand peintre romantique, en débordant ses habitudes intellectuelles, lui ouvrait par « l'imagination reine des facultés » une porte sur le « surnaturalisme » du poète.

Baudelaire, par deux fois, a témoigné que ses premiers entretiens avec Delacroix sur les « questions les plus vastes et les plus profondes » abordèrent d'abord celle de la nature. Celle-ci, pour eux, ne saurait constituer la base de l'art, que Courbet définissait « la reproduction des choses réelles existantes ». Eux récusent cet « *univers sans l'homme* » (Baudelaire), car « il faut à un homme qui a une âme autre chose pour la remplir que les objets extérieurs » (Delacroix). Toutefois ceux-ci ne sont pas inutiles; ils apportent « *un* incitamentum, *un réveil pour les facultés sommeillantes* » (Baudelaire). Si cette mise en branle de la sensibilité reste essentielle, il est beaucoup plus important pour l'artiste de « se rapprocher de l'idéal passager que peut représenter la nature » (Delacroix). Baudelaire est encore plus catégorique : « *La première affaire d'un artiste est de substituer l'homme à la nature et de protester contre elle.* »

La nature cependant est indispensable car, ainsi que le disait fort justement Courbet, la peinture est « une langue... qui se compose pour mots de tous les objets visibles ». Cela, Delacroix, comme Baudelaire, l'admet. Le premier l'a dit, « la nature n'est qu'un dictionnaire » car « devant la nature elle-même, c'est notre imagination qui fait le tableau ».

Dès lors Baudelaire peut nous livrer « *le formulaire de la véritable esthétique... tout l'univers visible n'est qu'un magasin d'images et de signes auquel l'imagination donnera une place et une valeur relatives* ». Et pour cela elle procédera à un choix, d'une part, des « éléments qui s'accommodent » à sa conception, et d'autre part à une élaboration en leur conférant « une physionomie toute nouvelle ». Par un véritable détournement, la nature et ses aspects ne serviront plus qu'à traduire visiblement une réalité toute intérieure et spirituelle que le créateur détient. Il en est de même en littérature : « *Je me suis toujours plu*, écrit Baudelaire, *à chercher dans la nature extérieure et visible des exemples* [n'est-ce pas le choix ?] *et des métaphores* [n'est-ce pas l'élaboration ?] *qui me serviront à caractériser les jouissances et les impressions d'un ordre spirituel.* » N'y a-t-il pas là le germe non seulement du symbolisme, pour qui le visible ne vaut que s'il est allusion à l'invisible, mais aussi de l'art moderne, qui annihilera progressivement le rôle de la nature, en rendant de plus en plus succincts les signes qu'il en tire ?

A la nature, telle qu'elle se révèle universellement aux hommes, s'en substitue une autre, affirme Baudelaire, analogue à l'esprit et au tempérament de l'auteur. Une telle conversion reflétait dans l'esthétique le passage général de l'objectif au subjectif et il faut y reconnaître le contrecoup de la pénétration de la pensée germanique au XIXe siècle. Le terme de « subjectif » venait d'apparaître dans la langue française, en 1812, grâce au *Dictionnaire franco-allemand* de l'abbé Mozin, avec le sens neuf que lui avaient conféré Kant, Fichte, Schelling... Custine, si informé de l'Allemagne, mettait au courant, dès 1818, le marquis de La Grange de l'opposition qui se formulait : « Ceux... qui dessinent les objets, les caractères, tels qu'ils sont, sans y mêler la couleur factice de leurs affections particulières... ils les nomment : objectifs, tandis qu'ils appellent ceux qui écrivent avec passion, qui se personnifient dans leurs livres : subjectifs. »

La subjectivité en art est la conclusion naturelle du kantisme, tel qu'il avait été présenté, aux Français par Charles de Villers dès 1801 dans sa *Philosophie de Kant*. Dans son *Salon de 1831* Henri Heine avait énoncé : « Chaque artiste original, chaque génie nouveau doit être jugé d'après l'esthétique [c'est-à-dire, au sens propre, d'après la manière de sentir] qui lui est propre et qui se produit en même temps que son œuvre. » Il y a cohésion parfaite avec l'affirmation de Baudelaire : « *Ne méprisez la sensibilité de personne. La sensibilité de chacun, c'est son génie* », comme avec celle de Delacroix : « Ce qui fait l'homme extraordinaire c'est radicalement une manière tout à fait propre de voir les choses. »

L'art ne propose donc plus à l'homme de rejoindre quelque chose, modèle concret ou concept idéal; il part de lui-même et a pour rôle de l'exprimer dans sa particularité unique. Aussi chaque créateur sera-t-il amené à cultiver d'abord sa résonance particulière.

Mais la particularité de chaque homme est, au sens propre, une étrangeté (« Je suis autre », proclamait déjà J.-J. Rousseau), en proportion de sa richesse intérieure.

Ici se présente, pour la première fois, à la réflexion des artistes une difficulté; cette richesse intérieure n'est-elle pas incommunicable, puisqu'elle est le propre d'un individu différent des autres et d'autant plus différent qu'il est grand ? Solitude du génie. « La nature, observait Delacroix dès sa jeunesse, a mis une barrière entre mon âme et celle de mon ami le plus intime. » Là encore aboutissait une tendance psychologique nouvelle. On pourrait la penser impliquée déjà dans la conviction de Leibniz que son monde d'esprits, les monades, est sans fenêtres sur le monde extérieur.

Mais, au début du siècle, c'est le grand philosophe français Maine de Biran, admirateur de Kant et de Leibniz en même temps que de Descartes, qui avait ouvert cette direction : il s'était dégagé tôt de Condillac, dont la doctrine avait régné sans partage sur le XVIIIe siècle français, et il avait répudié son « homme extérieur », tout entier « dans la sensation et la réflexion », pour révéler l'importance de « l'homme intérieur », découvert par la perception directe et intuitive de son moi.

Mais cet homme intérieur, s'il peut se percevoir, comment parviendra-t-il à s'exprimer, à se communiquer aux autres ? Maine de Biran reconnaissait : « L'homme intérieur est ineffable en son essence. » Tous les romantiques le suivront dans cette croyance. Et pourtant c'est l'homme intérieur et lui seul qu'ils veulent faire parler. A l'effort désespéré des romantiques, Baudelaire, à la suite de Delacroix, va faire succéder une tentative méthodique pour « se faire un langage ». Or Baudelaire l'explique : « *Ce langage existe; c'est celui de l'art qui touche l'âme mais par le sens.* » Sous prétexte de montrer les choses connues et de les faire reconnaître, sous prétexte de figurer « *leur matérialité facilement saisissable* », l'art permet de « *créer une magie suggestive contenant à la fois l'objet et le sujet, le monde extérieur à l'artiste et l'artiste lui-même, d'illuminer les choses avec son esprit* », afin d'en projeter « *le reflet sur les autres esprits* ». Mais ici encore, Delacroix a conçu « cette silencieuse puissance » des images qui « ne parle d'abord qu'aux yeux », mais bientôt « gagne et s'empare de toutes les facultés de l'âme ».

Comment se forge un tel langage de l'inexprimable ou du moins de l'inexprimé ? Les sensations visuelles, répertoire de notre expérience, fournissent le vocable de base, la « nature-dictionnaire ». En effet, si elles apportent un écho identifiable de la réalité extérieure, la vibration qu'elles éveillent en nous est celle de notre système nerveux. La sensation se fond, dès son éclosion, par des associations immédiates, avec d'autres sensations, mais aussi avec des souvenirs qui diffèrent d'individu à individu, car ils dépendent autant de sa constitution affective que de son expérience particulière. L'homme n'apparaît plus comme cet écran vide disponible qu'imaginait le XVIIIe siècle et où viendraient se projeter ou se grouper les apports du monde extérieur, ainsi que des images dans une chambre noire; il est maintenant conçu plutôt comme un champ magnétique imposant ses dispositions à la limaille qu'on y jette. C'est le travail de cette « *pensée intime de l'artiste*, dont parle Baudelaire, *qui domine le modèle comme le Créateur domine la création* ». Ainsi à en croire Delacroix « le but de l'artiste n'est pas de reproduire exactement les objets »; et Baudelaire ajoute en écho : « *Qui oserait assigner à l'art la fonction stérile d'imiter la nature*? » L'art vise, selon Delacroix, à « combiner les éléments d'objets qu'on connaît, qu'on a vus avec d'autres qui tiennent à l'âme même de l'artiste ». C'est en soulignant la part subjective des sensations que l'on y parvient. Et celle-ci se renforce de tout le poids de la mémoire. Proust, plus tard, en fournira des exemples célèbres : la madeleine de Combray, le déclic de l'ascenseur ou le « hoquet » du calorifère. Baudelaire l'avait précédé car, dans son *Choix de maximes consolantes sur l'amour*, il observait que l'association des idées pouvait en unissant par hasard le spectacle de « *l'affreuse croûte de la petite vérole* » sur le visage aimé et l'audition d'un air de Paganini, les rendre inséparables. « *Dès lors, les traces de la petite vérole feront partie de votre bonheur et chanteront toujours à votre regard attendri l'air mystérieux de Paganini.* »

Mais dans la mémoire se marque aussi un travail de transformation involontaire par quoi chaque individu s'approprie de manière différente les faits dont il a été témoin. Tout un travail d'affabulation se met en branle. Delacroix avait analysé de près

« ce travail involontaire de l'âme qui écarte et supprime : cette espèce d'idéalisation »; il le compare à « l'effet des beaux ouvrages de l'imagination ». La mémoire envisagée sous cet angle n'ébauche-t-elle pas déjà la tâche de l'imagination ? Aussi Baudelaire pouvait-il affirmer que « *le souvenir est le grand critérium de l'art* ». C'est pourquoi Delacroix, comme lui, ont toujours préconisé le travail à l'atelier de préférence à celui qu'on exécute sur nature, car, dans le premier cas, la mémoire est livrée beaucoup plus librement à son fonctionnement partial, alors que, dans le second, son action transformatrice est paralysée par la présence et le contrôle obsédant du modèle. Baudelaire vantera la « *peinture qui procède surtout du souvenir* ». Il a précisé, avec une pénétration psychologique bien en avance sur son temps : « *Tel petit chagrin, telle petite jouissance de l'enfant, démesurément grossis par une exquise sensibilité, deviennent plus tard, dans l'homme adulte, même à son insu, le principe d'une œuvre d'art.* »

Cette esthétique débouche alors sur son principe directeur : elle est une apologie de l'imagination. Grâce à elle, l'individu, affirmé déjà par ses pouvoirs d'assimilation transformateurs, se déploiera dans toute son originalité et dans toute sa liberté. « Tout l'univers visible n'est qu'un magasin d'images et de signes auxquels l'imagination donnera une place et une valeur relatives; c'est une espèce de pâture que l'imagination doit digérer et transformer. Toutes les facultés de l'âme humaine doivent être subordonnées à l'imagination qui les met en réquisition toutes à la fois. » Mais, ici encore, Baudelaire reflète la conviction de Delacroix décrivant l'imagination « première qualité de l'artiste ». C'est par son action que se communiquera aux spectateurs la qualité originale du créateur « *avec les matériaux amassés et disposés suivant des règles dont on ne peut trouver l'origine que dans le plus profond de l'âme* » (Baudelaire).

L'analyse du poème de Baudelaire *La Chevelure* permet de suivre, comme pas à pas, ce travail par lequel les éléments détachés du monde extérieur perçu par l'artiste ébranlent, grâce aux associations épanouies en rêveries, les activités expressives de l'individu. Le poète se gorge d'abord des sensations offertes par cette chevelure éparse : il « *l'agite dans l'air comme un mouchoir* » et, en la palpant, en la regardant, en la respirant, il ébranle en lui toutes ses facultés réceptives. Mais, en même temps, il émeut, dans le monde obscur de la mémoire, les évocations « *dormant dans cette chevelure* ». Et c'est par l'élan des souvenirs qu'il déploie l'imagination, entreprenant « *l'éblouissant rêve de voiles, de rameurs, de flammes et de mâts* » qui lui ouvre magiquement les portes de « *la langoureuse Asie* » et de la « *brûlante Afrique* ». Tout au long de cette mue, les « correspondances » ont joué leur rôle dissociateur par rapport à la donnée extérieure initiale et même par rapport aux structures intellectuelles accoutumées, en même temps que, inversement elles favorisaient l'assimilation au milieu intérieur et à son ambiance.

« *L'artiste*, médite Baudelaire, *doit peindre selon ce qu'il voit* », mais encore plus selon « *ce qu'il sent* ». C'est qu'il se plaît « *à chercher dans la nature extérieure et visible des exemples et des métaphores* » servant à « *caractériser les jouissances, les impressions d'un ordre spirituel* ». Alors seulement il est prêt à manifester la réalité nouvelle qui s'est constituée en lui et qu'il va réaliser, sous les yeux des autres hommes, en créant une œuvre. Alors « *les choses renaissent sur le papier, naturelles et plus que naturelles – singulières et douées d'une vie enthousiaste comme l'âme de l'auteur* ». Ainsi, après avoir « *illuminé les choses avec son esprit* », il parvient à « *en projeter le reflet sur les autres esprits* ». Mais cela Delacroix l'a défini avant Baudelaire. Il a montré qu'il fallait provoquer « ces chocs mystérieux » nés de « ce que l'âme a ajouté aux couleurs et aux lignes pour aller à l'âme ». Alors « ce sentiment mal défini que chaque homme peut-être a cru lui être particulier s'est trouvé comme un écho chez tous les êtres sensibles ». Le grand artiste devra posséder une humanité assez profonde et assez large pour que, tout en restant authentiquement personnel, il sache éveiller chez les autres des sentiments quasi universels.

Cette esthétique si distincte de celle du classicisme ne saurait pourtant être confondue, comme on le fait trop souvent, avec celle du romantisme : celui-ci demandait seulement des émotions. Pour Delacroix et Baudelaire il faut davantage : façonner par l'œuvre, à la fois lucidement et intuitivement, un état d'âme qu'on pourrait qualifier de dirigé. « *Il ne faut pas confondre*, observe le poète, *la sensibilité de l'imagination et celle du cœur.* »

L'art n'est plus un cri spontané, arraché aux entrailles d'un être bouleversé. Il est l'œuvre de la sensibilité, certes, mais traduite et dirigée par l'intelligence lucide. L'artiste devra être maître de son art et savoir, à la fois instinctivement et consciemment, coordonner et composer ses effets, en jouant de leurs analogies, de leurs correspondances et en les orchestrant à son gré. Delacroix dira donc : « Le principal attribut du génie est de coordonner, de composer, d'assembler des rapports. » Alors seulement il aura réalisé, selon Baudelaire, « *deux conditions essentielles : l'unité d'impression et la totalité d'effet* ».

Certes, Baudelaire n'est pas l'auteur de cette révolution profonde qui, rejetant les systèmes d'idées sur lesquels reposait la conception que l'on se faisait auparavant de l'art, a ouvert les voies aux écoles modernes. Il a seulement pris conscience de sa nature et de son ampleur avec une lucidité inconnue auparavant et que seul Delacroix avait annoncée. Mais le grand peintre romantique avait, de par sa culture et son caractère, trop d'attaches avec la tradition pour mesurer et accepter toute la portée des idées qu'il énonçait pourtant déjà avec fermeté. Baudelaire, il faut l'admettre, les a recueillies de sa bouche; il n'a fait souvent qu'en répéter l'expression presque dans les mêmes termes; mais il y a en lui une aspiration frémissante à l'inattendu de l'avenir qui lui permet de leur conférer une valeur inédite. Avec lui et avec lui seulement, nous entrons d'un pas délibéré dans une ère nouvelle que Delacroix a préparée mais que Baudelaire, par le côté de sa nature qui inquiétait et éloignait son grand aîné, a orientée vers ses audaces les plus résolues.

R.H.

Avant-propos

par
Bernadette Dubois

C'est en 1845, alors que les premières pièces des *Fleurs du Mal* commencent à paraître, que Baudelaire, encouragé par Théophile Gautier et Victor Hugo, se lance dans la voie de la critique; ce qui lui permettra, d'une part, d'assurer matériellement son existence et, d'autre part, de donner libre cours à sa révolte contre la médiocrité générale de la critique dans la presse parisienne, en s'attaquant – souvent avec sarcasmes – aux chroniqueurs de l'époque, traités de bavards, d'envieux et d'incompétents.

Sur la relation qui se noue entre Baudelaire et Delacroix, on possède peu de détails. Dans son texte de 1863, le poète situe leur première rencontre dans le courant de l'année 1845, – il a alors 25 ans et Delacroix près de 50 –, mais il s'agit apparemment d'un souvenir assez flou. On sait qu'après avoir croisé le peintre à plusieurs reprises dans divers salons, Baudelaire, épris de ses toiles, décide de forcer les portes de son atelier. Bien que Delacroix soit un homme extrêmement solitaire et réservé, on le voit s'ouvrir peu à peu à son visiteur et lui livrer, au cours de leurs entrevues, quelques secrets sur lui-même et sur son œuvre. Pour ne rien perdre de ces moments de confidences, qui sont autant de « fêtes du cerveau », le poète notera au vol les paroles du peintre et les écrira « presque sous la dictée du maître ».

Le premier texte sur l'art, le *Salon de 1845*, marque une certaine réserve à l'égard de Delacroix; il révèle cependant, de la part de Baudelaire, une justesse d'appréciation et une confiance assurée dans le génie du peintre. Ce premier regard sur l'art – encore fragmentaire et non structuré, mais déjà profondément motivé – est aussi un premier cri d'admiration lancé à Delacroix déjà pressenti comme le « premier des contemporains ».

C'est dans le *Salon de 1846* que jaillit le génie critique de Baudelaire. Il est probable qu'à ce moment-là, la rencontre avec Delacroix ait eu lieu. Le regard intuitif fait place ici à un exposé ordonné sur l'art pictural en général.

L'écrit suivant sur Delacroix paraît en 1855; il constitue la partie essentielle du texte sur l'*Exposition Universelle*. On assiste ici à un nouveau développement des conceptions esthétiques de Baudelaire. L'admiration éprouvée à l'égard du peintre s'est affermie grâce à une sensibilité plus mûre et davantage maîtrisée : au contact des toiles de Delacroix, le regard du poète s'est rendu plus réceptif à la beauté qui s'en dégage.

Entre-temps, il s'était consacré aux premières traductions d'Edgar Poe et avait, comme on sait, publié sa biographie littéraire sur l'écrivain américain – texte qu'il retravaillera d'ailleurs par la suite.

Les quatre années qui séparent l'*Exposition Universelle* du prochain *Salon* représentent, on s'en souvient, une période très féconde dans la vie créatrice de Baudelaire. Successivement, on voit paraître une première édition des *Fleurs du Mal* (qui comprend 19 poèmes dont certains seront condamnés lors du fameux procès), les premiers Poèmes en prose, une nouvelle version du texte sur Poe, diverses traductions de ses *Contes*, ainsi que l'étude sur son ami Théophile Gautier.

En 1859 s'ouvre un troisième salon, où Delacroix expose pour la dernière fois. C'est l'occasion pour Baudelaire de reprendre la plume et de se livrer – comme s'il avait été peintre lui-même – à une composition riche et dense autour du thème favori qui rapproche le poète et le peintre : l'imagination. Baudelaire lui-même devait aimer ce texte : il en reprendra en effet de longs passages dans son étude de 1863.

Les trois années qui suivent voient paraître une seconde édition (augmentée) des *Fleurs du Mal*, *Les Paradis artificiels* et le fameux essai sur *Richard Wagner*. En 1861, il rédige deux articles sur des œuvres de Delacroix : les *Peintures murales* et le *Sardanapale*.

Vient enfin le texte majeur sur Delacroix, composé en 1863 comme un ultime éloge adressé au peintre qui vient de mourir. Baudelaire a alors 42 ans. Son admiration passionnée pour Delacroix, qui jamais n'a faibli, se déploie dans toute sa maturité.

En 1864, lors d'un cycle de conférences qu'il tient à Bruxelles, il traitera encore, et en public cette fois, de son peintre favori. On reconnaît, dans le préambule à sa conférence, une semblable émotion dans la voix, qui témoigne du rayonnement étonnant que le peintre a eu, au-delà de sa mort, sur son plus fidèle admirateur.

Baudelaire meurt trois ans plus tard, en 1867.

***

Les textes réunis en ce volume représentent la quasi-totalité des écrits de Baudelaire sur Delacroix. (On lira, à ce propos, la note sur l'établissement du texte p. 235 et les notes en début de chaque partie, relatives au choix des extraits.)

Outre les cinq textes importants consacrés à Delacroix, qui marquent chacun une étape dans l'évolution esthétique du poète, les allusions à Delacroix sont nombreuses; on peut dire qu'elles parsèment l'ensemble de son œuvre critique en matière picturale.

Cette référence incessante à Delacroix, ce cri d'amour répété témoignent assez de la profonde et fidèle admiration que Baudelaire, tout au long de sa vie, voue au « peintre préféré » – peintre romantique par excellence, qui a pu se dégager à la fois de la fadeur et des excès lyriques de ses prédécesseurs pour apparaître, aux yeux de Baudelaire, comme le premier artiste moderne. Et en effet, il n'aura pas fallu de temps à Baudelaire pour reconnaître en Delacroix son modèle et précurseur, le maître de qui il a tout reçu, y compris le génie de la modernité.

Delacroix n'est pas le seul artiste que Baudelaire ait comblé de sa plus vive admiration. D'autres, parmi lesquels Théophile Gautier, Edgar Poe et Richard Wagner, ont provoqué chez lui de semblables enthousiasmes. C'est dans cette exaltation passionnée que sont nés ses grands textes critiques.

L'ensemble des écrits sur l'art et les artistes constitue une partie majeure de l'œuvre de Baudelaire. Ils sont en quelque sorte un éclairage indirect et précieux qui donne accès à l'œuvre poétique proprement dite. La critique et la poésie chez lui ne font qu'un; elles sont indissociables et ne peuvent être appréhendées que comme les deux faces d'un même tempérament créateur. Le poète, parce qu'il est à la fois visionnaire – voyant – et amoureux, est, pour Baudelaire, le meilleur des critiques. Aussi, « le meilleur compte rendu d'un tableau pourra être un sonnet ou une élégie » (*Salon de 1846*).

On ne sera donc pas étonné de voir figurer ici, en ouverture et en fin de volume, deux poèmes qui sont là pour témoigner de l'intimité étroite qui lie le regard poétique au regard critique.

Baudelaire ne critique que ceux qu'il admire profondément. C'est quand il est épris que son regard trouve son acuité, et sa voix son ton juste. La lucidité et la perspicacité avec lesquelles il découvre le véritable artiste et met au jour le génie d'une œuvre proviennent des affinités complices qui le nouent à l'artiste et grâce auxquelles il atteint le secret de son œuvre.

« Il vous faut donc, écrit-il (dans l'étude sur *Pierre Dupont*, 1851) pour bien représenter l'œuvre, *entrer dans la peau* de l'être créé, vous pénétrer profondément des sentiments qu'il exprime et les si bien sentir qu'il vous semble que ce soit votre œuvre propre. »

C'est de cette manière qu'il aborde Delacroix : poussé par un enthousiasme fulgurant, le poète se rapproche infiniment du peintre au point de lui découvrir des préoccupations artistiques et un idéal esthétique semblables aux siens, bref de se reconnaître et de s'identifier à lui. L'œuvre du peintre devient alors une sorte de tremplin pour l'acte créateur du poète qui projette sur lui ses convictions les plus intimes et développe à travers lui ses propres pensées sur l'art et la beauté. En peignant Delacroix, Baudelaire nous dresse – entre les lignes – son autoportrait.

C'est ainsi que la démarche critique se transforme, sous le regard amoureux, en une démarche essentiellement créatrice et poétique.

Obsédé de beauté, en quête perpétuelle de plaisir esthétique et d'abandon à la volupté, Baudelaire ne se laisse jamais envoûter, sans saisir en profondeur les raisons de son envoûtement. La création s'opère quand, prenant conscience de sa propre jouissance, il se réapproprie par l'esprit la volupté que ses sens viennent d'éprouver. Ainsi, Baudelaire s'est laissé imprégner de l'œuvre de Delacroix : il se l'est appropriée pour nous la restituer ensuite de façon plus intérieure, c'est-à-dire pour la recréer. C'est en se rendant complètement disponible à la beauté qui l'a saisi dans les toiles de Delacroix que Baudelaire, à travers sa méditation sur lui, en prolonge l'œuvre. En même temps qu'il l'analyse et la décompose sous nos yeux, il la reconstitue et nous la rend enrichie de perspectives nouvelles.

B.D.

Glorifier le culte des images
(ma grande, mon unique, ma primitive passion).

Mon cœur mis à nu

Les Phares

Rubens, fleuve d'oubli, jardin de la paresse,
Oreiller de chair fraîche où l'on ne peut aimer,
Mais où la vie afflue et s'agite sans cesse,
Comme l'air dans le ciel et la mer dans la mer;

Léonard de Vinci, miroir profond et sombre,
Où des anges charmants, avec un doux souris
Tout chargé de mystère, apparaissent à l'ombre
Des glaciers et des pins qui ferment leur pays;

Rembrandt, triste hôpital tout rempli de murmures,
Et d'un grand crucifix décoré seulement,
Où la prière en pleurs s'exhale des ordures,
Et d'un rayon d'hiver traversé brusquement;

Michel-Ange, lieu vague où l'on voit des Hercules
Se mêler à des Christs, et se lever tout droits
Des fantômes puissants qui dans les crépuscules
Déchirent leur suaire en étirant leurs doigts;

Colères de boxeur, impudences de faune,
Toi qui sus ramasser la beauté des goujats,
Grand cœur gonflé d'orgueil, homme débile et jaune,
Puget[1], mélancolique empereur des forçats;

Watteau, ce carnaval où bien des cœurs illustres,
Comme des papillons, errent en flamboyant,
Décors frais et légers éclairés par des lustres
Qui versent la folie à ce bal tournoyant;

Goya, cauchemar plein de choses inconnues,
De fœtus qu'on fait cuire au milieu des sabbats,
De vieilles au miroir et d'enfants toutes nues,
Pour tenter les démons ajustant bien leurs bas;

Delacroix, lac de sang hanté des mauvais anges,
Ombragé par un bois de sapins toujours vert,
Où, sous un ciel chagrin, des fanfares étranges
Passent, comme un soupir étouffé de Weber;

Ces malédictions, ces blasphèmes, ces plaintes,
Ces extases, ces cris, ces pleurs, ces Te Deum,
Sont un écho redit par mille labyrinthes;
C'est pour les cœurs mortels un divin opium!

C'est un cri répété par mille sentinelles,
Un ordre renvoyé par mille porte-voix;
C'est un phare allumé sur mille citadelles,
Un appel de chasseurs perdus dans les grands bois!

Car c'est vraiment, Seigneur, le meilleur témoignage
Que nous puissions donner de notre dignité
Que cet ardent sanglot qui roule d'âge en âge
Et vient mourir au bord de votre éternité!

Les Fleurs du Mal, VI

Je tourmente mon esprit pour en arracher quelque formule qui exprime bien la *spécialité* d'Eugène Delacroix. Excellent dessinateur, prodigieux coloriste, compositeur ardent et fécond, tout cela est évident, tout cela a été dit. Mais d'où vient qu'il produit la sensation de nouveauté? Que nous donne-t-il de plus que le passé? Aussi grand que les grands, aussi habile que les habiles, pourquoi nous plaît-il davantage? On pourrait dire que, doué d'une plus riche imagination, il exprime surtout l'intime du cerveau, l'aspect étonnant des choses, tant son ouvrage garde fidèlement la marque et l'humeur de sa conception. C'est l'infini dans le fini. C'est le rêve! et je n'entends pas par ce mot les capharnaüms de la nuit, mais la vision produite par une intense méditation, ou, dans les cerveaux moins fertiles, par un excitant artificiel. En un mot, Eugène Delacroix peint surtout l'*âme* dans ses belles heures. Ah ! mon cher ami, cet homme me donne quelquefois l'envie de durer autant qu'un patriarche, ou, malgré tout ce qu'il faudrait de courage à un mort pour consentir à revivre (« Rendez-moi aux enfers ! » disait l'infortuné ressuscité par la sorcière thessalienne), d'être ranimé à temps pour assister aux enchantements et aux louanges qu'il excitera dans l'âge futur. Mais à quoi bon ? Et quand ce vœu puéril serait exaucé, de voir une prophétie réalisée, quel bénéfice en tirerai-je, si ce n'est la honte de reconnaître que j'étais une âme faible et possédée du besoin de voir approuver ses convictions ?

Extrait du *Salon de 1859*[1]

Lettre de Delacroix à Baudelaire[1]

Ce 27 Juin 1859

Cher Monsieur,

Comment vous remercier dignement pour cette nouvelle preuve de votre amitié? Vous venez à mon secours au moment où je me vois houspillé et vilipendé par un assez bon nombre de critiques sérieux ou soi-disant tels. Ces messieurs ne veulent que du grand, et j'ai tout bonnement envoyé ce que je venais d'achever sans prendre une toise pour vérifier si j'étais dans les longueurs prescrites pour arriver à la postérité, dont je ne doute pas que ces messieurs ne m'eussent facilité l'accès. Ayant eu le bonheur de vous plaire, je me console de leurs réprimandes. Vous me traitez comme on ne traite que les *grands morts*, vous me faites rougir tout en me plaisant beaucoup; nous sommes faits comme cela.

Adieu, Cher Monsieur; faites donc paraître plus souvent quelque chose : vous mettez de vous dans tout ce que vous faites, et les amis de votre talent ne se plaignent que de la rareté de vos apparitions.

Je vous serre la main bien cordialement.

Eug. Delacroix.

Salon de 1846[1]

I. A quoi bon la critique?

A quoi bon? – Vaste et terrible point d'interrogation, qui saisit la critique au collet dès le premier pas qu'elle veut faire dans son premier chapitre.

L'artiste reproche tout d'abord à la critique de ne pouvoir rien enseigner au bourgeois, qui ne veut ni peindre ni rimer, – ni à l'art, puisque c'est de ses entrailles que la critique est sortie.

Et pourtant que d'artistes de ce temps-ci doivent à elle seule leur pauvre renommée! C'est peut-être là le vrai reproche à lui faire.

Vous avez vu un Gavarni[2] représentant un peintre courbé sur sa toile; derrière lui un monsieur, grave, sec, roide et cravaté de blanc, tenant à la main son dernier feuilleton. « Si l'art est noble, la critique est sainte. » – « Qui dit cela ? » – « La critique ! » Si l'artiste joue si facilement le beau rôle, c'est que le critique est sans doute un critique comme il y en a tant.

En fait de moyens et procédés – des ouvrages eux-mêmes[a], le public et l'artiste n'ont rien à apprendre ici. Ces choses-là s'apprennent à l'atelier, et le public ne s'inquiète que du résultat.

Je crois sincèrement que la meilleure critique est celle qui est amusante et poétique; non pas celle-ci, froide et algébrique, qui, sous prétexte de tout expliquer, n'a ni haine ni amour, et se dépouille volontairement de toute espèce de tempérament; mais, – un beau tableau étant la nature réfléchie par un artiste, – celle qui sera ce tableau réfléchi par un esprit intelligent et sensible. Ainsi le meilleur compte rendu d'un tableau pourra être un sonnet ou une élégie.

Mais ce genre de critique est destiné aux recueils de poésie et aux lecteurs poétiques. Quant à la critique proprement dite, j'espère que les philosophes comprendront ce que je vais dire : pour être juste, c'est-à-dire pour avoir sa raison d'être, la critique doit être partiale, passionnée, politique,

a. Je sais bien que la critique actuelle a d'autres prétentions; c'est ainsi qu'elle recommandera toujours le dessin aux coloristes et la couleur aux dessinateurs. C'est d'un goût très-raisonnable et très-sublime!

c'est-à-dire faite à un point de vue exclusif, mais au point de vue qui ouvre le plus d'horizons.

Exalter la ligne au détriment de la couleur, ou la couleur aux dépens de la ligne, sans doute c'est un point de vue; mais ce n'est ni très-large ni très-juste, et cela accuse une grande ignorance des destinées particulières.

Vous ignorez à quelle dose la nature a mêlé dans chaque esprit le goût de la ligne et le goût de la couleur, et par quels mystérieux procédés elle opère cette fusion, dont le résultat est un tableau.

Ainsi un point de vue plus large sera l'individualisme bien entendu : commander à l'artiste la naïveté et l'expression sincère de son tempérament, aidée par tous les moyens que lui fournit son métier[a]. Qui n'a pas de tempérament n'est pas digne de faire des tableaux, et, – comme nous sommes las des imitateurs, et surtout des éclectiques, – doit entrer comme ouvrier au service d'un peintre à tempérament. C'est ce que je démontrerai dans un des derniers chapitres.

Désormais muni d'un criterium certain, criterium tiré de la nature, le critique doit accomplir son devoir avec passion; car pour être critique on n'en

a. A propos de l'individualisme bien entendu, voir dans le *Salon de 1845* l'article sur William Haussoullier. Malgré tous les reproches qui m'ont été faits à ce sujet, je persiste dans mon sentiment; mais il faut comprendre l'article.

est pas moins homme, et la passion rapproche les tempéraments analogues et soulève la raison à des hauteurs nouvelles.

Stendhal a dit quelque part[3] : « La peinture n'est que de la morale construite ! » – Que vous entendiez ce mot de morale dans un sens plus ou moins libéral, on en peut dire autant de tous les arts. Comme ils sont toujours le beau exprimé par le sentiment, la passion et la rêverie de chacun, c'est-à-dire la variété dans l'unité, ou les faces diverses de l'absolu, – la critique touche à chaque instant à la métaphysique.

Chaque siècle, chaque peuple ayant possédé l'expression de sa beauté et de sa morale, – si l'on veut entendre par romantisme l'expression la plus récente et la plus moderne de la beauté, – le grand artiste sera donc, – pour le critique raisonnable et passionné, – celui qui unira à la condition demandée ci-dessus, la naïveté, – le plus de romantisme possible.

II. *Qu'est-ce que le romantisme?*

Peu de gens aujourd'hui voudront donner à ce mot un sens réel et positif; oseront-ils cependant affirmer qu'une génération consent à livrer une bataille de plusieurs années pour un drapeau qui n'est pas un symbole?

Qu'on se rappelle les troubles de ces derniers temps, et l'on verra que, s'il est resté peu de romantiques, c'est que peu d'entre eux ont trouvé le romantisme; mais tous l'ont cherché sincèrement et loyalement.

Quelques-uns ne se sont appliqués qu'au choix des sujets; ils n'avaient pas le tempérament de leurs sujets. – D'autres, croyant encore à une société catholique, ont cherché à refléter le catholicisme dans leurs œuvres. – S'appeler romantique et regarder systématiquement le passé, c'est se contredire. – Ceux-ci, au nom du romantisme, ont blasphémé les Grecs et les Romains : or on peut faire des Romains et des Grecs romantiques, quand on l'est soi-même. – La vérité dans l'art et la couleur locale en ont égaré beaucoup d'autres. Le réalisme avait existé longtemps avant cette grande bataille, et d'ailleurs, composer une tragédie ou un tableau pour M. Raoul Rochette, c'est s'exposer à recevoir un démenti du premier venu, s'il est plus savant que M. Raoul Rochette.

Le romantisme n'est précisément ni dans le choix des sujets ni dans la vérité exacte, mais dans la manière de sentir.

Ils l'ont cherché en dehors, et c'est en dedans qu'il était seulement possible de le trouver.

Pour moi, le romantisme est l'expression la plus récente, la plus actuelle du beau.

Il y a autant de beautés qu'il y a de manières habituelles de chercher le bonheur[a].

La philosophie du progrès explique ceci clairement; ainsi, comme il y a eu autant d'idéals qu'il y a eu pour les peuples de façons de comprendre la morale, l'amour, la religion, etc., le romantisme ne consistera pas dans une exécution parfaite, mais dans une conception analogue à la morale du siècle.

C'est parce que quelques-uns l'ont placé dans la perfection du métier que nous avons eu le rococo du romantisme, le plus insupportable de tous sans contredit.

Il faut donc, avant tout, connaître les aspects de la nature et les situations de l'âme, que les artistes du passé ont dédaignés ou n'ont pas connus.

Qui dit romantisme dit art moderne, – c'est-à-dire intimité, spiritualité, couleur, aspiration vers

a. Stendhal.

l'infini, exprimées par tous les moyens que contiennent les arts.

Il suit de là qu'il y a une contradiction évidente entre le romantisme et les œuvres de ses principaux sectaires.

Que la couleur joue un rôle très-important dans l'art moderne, quoi d'étonnant ? Le romantisme est fils du Nord, et le Nord est coloriste; les rêves et les féeries sont enfants de la brume. L'Angleterre, cette patrie des coloristes exaspérés, la Flandre, la moitié de la France, sont plongées dans les brouillards; Venise elle-même trempe dans les lagunes. Quant aux peintres espagnols, ils sont plutôt contrastés que coloristes.

En revanche le Midi est naturaliste, car la nature y est si belle et si claire que l'homme, n'ayant rien à désirer, ne trouve rien de plus beau à inventer que ce qu'il voit : ici, l'art en plein air, et quelques centaines de lieues plus haut, les rêves profonds de l'atelier et les regards de la fantaisie noyés dans les horizons gris.

Le Midi est brutal et positif comme un sculpteur dans ses compositions les plus délicates; le Nord souffrant et inquiet se console avec l'imagination, et s'il fait de la sculpture, elle sera plus souvent pittoresque que classique.

Raphaël, quelque pur qu'il soit, n'est qu'un esprit matériel sans cesse à la recherche du solide; mais cette canaille de Rembrandt est un puissant idéaliste qui fait rêver et deviner au delà. L'un compose des créatures à l'état neuf et virginal, – Adam et Eve; – mais l'autre secoue des haillons devant nos yeux et nous raconte les souffrances humaines.

Cependant Rembrandt n'est pas un pur coloriste, mais un harmoniste; combien l'effet sera donc nouveau et le romantisme adorable, si un puissant coloriste nous rend nos sentiments et nos rêves les plus chers avec une couleur appropriée aux sujets!

Avant de passer à l'examen de l'homme qui est jusqu'à présent le plus digne représentant du romantisme, je veux écrire sur la couleur une série de réflexions qui ne seront pas inutiles pour l'intelligence complète de ce petit livre.

III. De la couleur

Supposons un bel espace de nature où tout verdoie, rougeoie, poudroie et chatoie en pleine liberté, où toutes choses, diversement colorées suivant leur constitution moléculaire, changées de seconde en seconde par le déplacement de l'ombre et de la lumière, et agitées par le travail intérieur du calorique, se trouvent en perpétuelle vibration, laquelle fait trembler les lignes et complète la loi du mouvement éternel et universel. – Une immensité, bleue quelquefois et verte souvent, s'étend jusqu'aux confins du ciel : c'est la mer. Les arbres sont verts, les gazons verts, les mousses vertes; le vert serpente dans les troncs, les tiges non mûres sont vertes; le vert est le fond de la nature, parce que le vert se marie facilement à tous les autres tons[a]. Ce qui me frappe d'abord, c'est que partout, – coquelicots dans les gazons, pavots, perroquets, etc., – le rouge chante la gloire du vert; le noir, – quand il y en a, – zéro solitaire et insignifiant, intercède le secours du bleu ou du rouge. Le bleu, c'est-à-dire le ciel, est coupé de légers flocons blancs ou de masses

a. Excepté à ses générateurs, le jaune et le bleu; cependant je ne parle ici que des tons purs. Car cette règle n'est pas applicable aux coloristes transcendants qui connaissent à fond la science du contre-point.

grises qui trempent heureusement sa morne crudité – et, comme la vapeur de la saison, – hiver ou été, – baigne, adoucit, ou engloutit les contours, la nature ressemble à un toton qui, mû par une vitesse accélérée, nous apparaît gris, bien qu'il résume en lui toutes les couleurs.

La sève monte et, mélange de principes, elle s'épanouit en *tons mélangés*; les arbres, les rochers, les granits se mirent dans les eaux et y déposent leurs *reflets*; tous les objets transparents accrochent au passage lumières et couleurs voisines et lointaines. A mesure que l'astre du jour se dérange, les tons changent de valeur, mais, respectant toujours leurs sympathies et leurs haines naturelles, continuent à vivre en harmonie par des concessions réciproques. Les ombres se déplacent lentement, et font fuir devant elles ou éteignent les tons à mesure que la lumière, déplacée elle-même, en veut faire résonner de nouveau. Ceux-ci se renvoient leurs reflets, et, modifiant leurs qualités en les *glaçant* de qualités transparentes et empruntées, multiplient à l'infini leurs mariages mélodieux et les rendent plus faciles. Quand le grand foyer descend dans les eaux, de rouges fanfares s'élancent de tous côtés; une sanglante harmonie éclate à l'horizon, et le vert s'empourpre richement. Mais bientôt de vastes ombres bleues chassent en cadence devant elles la foule des tons orangés et rose tendre qui sont comme l'écho lointain et affaibli de la lumière.

Cette grande symphonie du jour, qui est l'éternelle variation de la symphonie d'hier, cette succession de mélodies, où la variété sort toujours de l'infini, cet hymne compliqué s'appelle la couleur.

On trouve dans la couleur l'harmonie, la mélodie et le contre-point.

Si l'on veut examiner le détail dans le détail, sur un objet de médiocre dimension, – par exemple, la main d'une femme un peu sanguine, un peu maigre et d'une peau très-fine, on verra qu'il y a harmonie parfaite entre le vert des fortes veines qui la sillonnent et les tons sanguinolents qui marquent les jointures; les ongles roses tranchent sur la première phalange qui possède quelques tons gris et bruns. Quant à la paume, les lignes de vie, plus roses et presque vineuses, sont séparées les unes des autres par le système des veines vertes ou bleues qui les traversent. L'étude du même objet, faite avec une loupe, fournira dans n'importe quel espace, si petit qu'il soit, une harmonie parfaite de tons gris, bleus, bruns, verts, orangés et blancs réchauffés par un peu de jaune; – harmonie qui, combinée avec les ombres, produit le modelé des coloristes, essentiellement différent du modelé des dessinateurs, dont les difficultés se réduisent à peu près à copier un plâtre.

La couleur est donc l'accord de deux tons. Le ton chaud et le ton froid, dans l'opposition desquels consiste toute la théorie, ne peuvent se définir d'une manière absolue : ils n'existent que relativement.

La loupe, c'est l'œil du coloriste.

Je ne veux pas en conclure qu'un coloriste doit procéder par l'étude minutieuse des tons confondus dans un espace très-limité. Car en admettant que chaque molécule soit douée d'un ton particulier, il faudrait que la matière fût divisible à l'infini; et d'ailleurs, l'art n'étant qu'une abstraction et un sacrifice du détail à l'ensemble, il est important de s'occuper surtout des masses. Mais je voulais prouver que, si le cas était possible, les tons quelque nombreux qu'ils fussent, mais logiquement juxtaposés, se fondraient naturellement par la loi qui les régit.

Les affinités chimiques sont la raison pour laquelle la nature ne peut pas commettre dc fautes dans l'arrangement de ses tons; car, pour elle, forme et couleur sont un.

Le vrai coloriste ne peut pas en commettre non plus; et tout lui est permis, parce qu'il connaît de naissance la gamme des tons, la force du ton, les résultats des mélanges, et toute la science du contre-point, et qu'il peut ainsi faire une harmonie de vingt rouges différents.

Cela est si vrai que, si un propriétaire anticoloriste s'avisait de repeindre sa campagne d'une manière absurde et dans un système de couleurs charivariques, le vernis épais et transparent de l'atmosphère et l'œil savant de Véronèse redresseraient le tout et produiraient sur une toile un ensemble satisfaisant, conventionnel sans doute, mais logique.

Cela explique comment un coloriste peut être paradoxal dans sa manière d'exprimer la couleur, et comment l'étude de la nature conduit souvent à un résultat tout différent de la nature.

L'air joue un si grand rôle dans la théorie de la couleur que, si un paysagiste peignait les feuilles des arbres telles qu'il les voit, il obtiendrait un ton faux; attendu qu'il y a un espace d'air bien moindre entre le spectateur et le tableau qu'entre le spectateur et la nature.

Les mensonges sont continuellement nécessaires, même pour arriver au trompe-l'œil.

L'harmonie est la base de la théorie de la couleur.

La mélodie est l'unité dans la couleur, ou la couleur générale.

La mélodie veut une conclusion; c'est un ensemble où tous les effets concourent à un effet général.

Ainsi la mélodie laisse dans l'esprit un souvenir profond.

La plupart de nos jeunes coloristes manquent de mélodie.

La bonne manière de savoir si un tableau est mélodieux est de le regarder d'assez loin pour n'en comprendre ni le sujet ni les lignes. S'il est mélodieux, il a déjà un sens, et il a déjà pris sa place dans le répertoire des souvenirs.

Le style et le sentiment dans la couleur viennent du choix, et le choix vient du tempérament.

Il y a des tons gais et folâtres, folâtres et tristes, riches et gais, riches et tristes, de communs et d'originaux.

Ainsi la couleur de Vénonèse est calme et gaie. La couleur de Delacroix est souvent plaintive, et la couleur de M. Catlin[4] souvent terrible.

J'ai eu longtemps devant ma fenêtre un cabaret mi-parti de vert et de rouge crus, qui étaient pour mes yeux une douleur délicieuse.

J'ignore si quelque analogiste a établi solidement une gamme complète des couleurs et des sentiments, mais je me rappelle un passage d'Hoffmann qui exprime parfaitement mon idée, et qui plaira à tous ceux qui aiment sincèrement la nature :

« Ce n'est pas seulement en rêve, et dans le léger délire qui précède le sommeil, c'est encore éveillé, lorsque j'entends de la musique, que je trouve une analogie et une réunion intime entre les couleurs, les sons et les parfums. Il me semble que toutes ces choses ont été engendrées par un même rayon de lumière, et qu'elles doivent se réunir dans un merveilleux concert. L'odeur des soucis bruns et rouges produit surtout un effet magique sur ma personne. Elle me fait tomber dans une profonde rêverie, et j'entends alors comme dans le lointain les sons graves et profonds du hautbois[a]. »

On demande souvent si le même homme peut être à la fois grand coloriste et grand dessinateur.

Oui et non; car il y a différentes sortes de dessins.

La qualité d'un pur dessinateur consiste surtout dans la finesse, et cette finesse exclut la touche : or il y a des touches heureuses, et le coloriste chargé d'exprimer la nature par la couleur perdrait souvent plus à supprimer des touches heureuses qu'à rechercher une plus grande austérité de dessin.

La couleur n'exclut certainement pas le grand dessin, celui de Véronèse, par exemple, qui procède surtout par l'ensemble et les masses; mais bien le dessin du détail, le contour du petit morceau, où la touche mangera toujours la ligne.

L'amour de l'air, le choix des sujets à mouvement, veulent l'usage des lignes flottantes et noyées.

Les dessinateurs exclusifs agissent selon un procédé inverse et pourtant analogue. Attentifs à suivre et à surprendre la ligne dans ses ondulations les plus secrètes, ils n'ont pas le temps de voir l'air et la lumière, c'est-à-dire leurs effets, et s'efforcent même de ne pas les voir, pour ne pas nuire au principe de leur école.

a. Kreisleriana.

On peut donc être à la fois coloriste et dessinateur, mais dans un certain sens. De même qu'un dessinateur peut être coloriste par les grandes masses, de même un coloriste peut être dessinateur par une logique complète de l'ensemble des lignes; mais l'une de ces qualités absorbe toujours le détail de l'autre.

Les coloristes dessinent comme la nature; leurs figures sont naturellement délimitées par la lutte harmonieuse des masses colorées.

Les purs dessinateurs sont des philosophes et des abstracteurs de quintessence.

Les coloristes sont des poëtes épiques.

IV. Eugène Delacroix

Le romantisme et la couleur me conduisent droit à Eugène Delacroix. J'ignore s'il est fier de sa qualité de romantique[5], mais sa place est ici, parce que la majorité du public l'a depuis longtemps, et même dès sa première œuvre, constitué le chef de l'école *moderne*.

En entrant dans cette partie, mon cœur est plein d'une joie sereine, et je choisis à dessein mes plumes les plus neuves, tant je veux être clair et limpide, et tant je me sens aise d'aborder mon sujet le plus cher et le plus sympathique. Il faut, pour faire bien comprendre les conclusions de ce chapitre, que je remonte un peu haut dans l'histoire de ce temps-ci, et que je remette sous les yeux du public quelques pièces du procès déjà citées par les critiques et les historiens précédents, mais nécessaires pour l'ensemble de la démonstration. Du reste, ce n'est pas sans un vif plaisir que les purs enthousiastes d'Eugène Delacroix reliront un article du *Constitutionnel* de 1822, tiré du Salon de M. Thiers, journaliste.

« Aucun tableau ne révèle mieux, à mon avis, l'avenir d'un grand peintre, que celui de M. Delacroix, représentant *Le Dante et Virgile aux enfers*.

C'est là surtout qu'on peut remarquer ce jet de talent, cet élan de la supériorité naissante qui ranime les espérances un peu découragées par le mérite trop modéré de tout le reste.

« Le Dante et Virgile, conduits par Caron, traversent le fleuve infernal et fendent avec peine la foule qui se presse autour de la barque pour y pénétrer. Le Dante, supposé vivant, a l'horrible teinte des lieux; Virgile, couronné d'un sombre laurier, a les couleurs de la mort. Les malheureux, condamnés éternellement à désirer la rive opposée, s'attachent à la barque : l'un la saisit en vain, et, renversé par son mouvement trop rapide, est replongé dans les eaux; un autre l'embrasse et repousse avec les pieds ceux qui veulent aborder comme lui; deux autres serrent avec les dents le bois qui leur échappe. Il y a là l'égoïsme de la détresse, le désespoir de l'enfer. Dans ce sujet si voisin de l'exagération, on trouve cependant une sévérité de goût, une convenance locale, en quelque sorte, qui relève le dessin, auquel des juges sévères, *mais peu avisés ici*, pourraient reprocher de manquer de noblesse. Le pinceau est large et ferme, la couleur simple et vigoureuse, quoique un peu crue.

« L'auteur a, outre cette imagination poétique qui est commune au peintre comme à l'écrivain, cette imagination de l'art, qu'on pourrait appeler en quelque sorte l'imagination du dessin, et qui est tout autre que la précédente. Il jette ses figures, les groupe et les plie à volonté avec la hardiesse de Michel-Ange et la fécondité de Rubens. Je ne sais quel souvenir des grands artistes me saisit à l'aspect de ce tableau; je retrouve cette puissance sauvage, ardente, mais naturelle, qui cède sans effort à son propre entraînement[6].

....

« Je ne crois pas m'y tromper, M. Delacroix a reçu le génie; qu'il avance avec assurance, qu'il se livre aux immenses travaux, condition indispensable du talent; et ce qui doit donner plus de confiance encore, c'est que l'opinion que j'exprime ici sur son compte est celle de l'un des grands maîtres de l'école. »

A. T...rs.

Ces lignes enthousiastes sont véritablement stupéfiantes autant par leur précocité que par leur hardiesse. Si le rédacteur en chef du journal avait, comme il est présumable, des prétentions à se connaître en peinture, le jeune Thiers dut lui paraître un peu fou.

Pour se bien faire une idée du trouble profond que le tableau de *Dante et Virgile* dut jeter dans les esprits d'alors, de l'étonnement, de l'abasourdissement, de la colère, du hourra, des injures, de l'enthousiasme et des éclats de rire insolents qui entourèrent ce beau tableau, vrai signal d'une révolution, il faut se rappeler que dans l'atelier de M. Guérin[7], homme d'un grand mérite, mais despote et exclusif comme son maître David, il n'y avait qu'un petit nombre de parias qui se préoccupaient des vieux maîtres à l'écart et osaient timidement conspirer à l'ombre de Raphaël et de Michel-Ange. Il n'était pas encore question de Rubens.

M. Guérin, rude et sévère envers son jeune élève, ne regarda le tableau qu'à cause du bruit qui se faisait autour.

Géricault, qui revenait d'Italie, et avait, dit-on, devant les grandes fresques romaines et florentines, abdiqué plusieurs de ses qualités presque originales, complimenta si fort le nouveau peintre, encore timide, que celui-ci en était presque confus.

Ce fut devant cette peinture, ou quelque temps après, devant les *Pestiférés de Scio*[a], que Gérard[8] lui-même, qui, à ce qu'il semble, était plus homme d'esprit que peintre, s'écria : « Un peintre vient de nous être révélé, mais c'est un homme qui court sur les toits ! » – Pour courir sur les toits, il faut avoir le pied solide et l'œil illuminé par la lumière intérieure.

Gloire est justice soient rendues à MM. Thiers et Gérard !

a. Je mets *pestiférés* au lieu de *massacre*, pour expliquer aux critiques étourdis les tons des chairs si souvent reprochés.

Depuis le tableau de *Dante et Virgile* jusqu'aux peintures de la chambre des pairs et des députés, l'espace est grand sans doute; mais la biographie d'Eugène Delacroix est peu accidentée. Pour un pareil homme, doué d'un tel courage et d'une telle passion, les luttes les plus intéressantes sont celles qu'il a à soutenir contre lui-même; les horizons n'ont pas besoin d'être grands pour que les batailles soient importantes; les révolutions et les événements les plus curieux se passent sous le ciel du crâne, dans le laboratoire étroit et mystérieux du cerveau.

L'homme étant donc bien dûment révélé et se révélant de plus en plus (tableau allégorique de la *Grèce*, le *Sardanapale*, la *Liberté*, etc.) la contagion du nouvel évangile empirant de jour en jour, le dédain académique se vit contraint lui-même de s'inquiéter de ce nouveau génie. M. Sosthène de La Rochefoucauld, alors directeur des beaux-arts, fit un beau jour mander E. Delacroix, et lui dit, après maint compliment, qu'il était affligeant qu'un homme d'une si riche imagination et d'un si beau talent, auquel le gouvernement voulait du bien, ne voulût pas mettre un peu d'eau dans son vin; il lui demanda définitivement s'il ne lui serait pas possible de modifier sa manière. Eugène Delacroix, prodigieusement étonné de cette condition bizarre et de ces conseils ministériels, répondit avec une colère presque comique qu'apparemment s'il peignait ainsi, c'est qu'il le fallait et qu'il ne pouvait pas peindre autrement. Il tomba dans une disgrâce complète, et fut pendant sept ans sevré de toute espèce de travaux. Il fallut attendre 1830. M. Thiers avait fait dans *Le Globe* un nouvel et très-pompeux article.

Un voyage à Maroc laissa dans son esprit, à ce qu'il semble, une impression profonde; là il put à loisir étudier l'homme et la femme dans l'indépendance et l'originalité native de leurs mouvements, et comprendre la beauté antique par l'aspect d'une race pure de toute mésalliance et ornée de sa santé et du libre développement de ses muscles. C'est probablement de cette époque que datent la composition des *Femmes d'Alger* et une foule d'esquisses.

Jusqu'à présent on a été injuste envers Eugène Delacroix. La critique a été pour lui amère et ignorante; sauf quelques nobles exceptions, la louange elle-même a dû souvent lui paraître choquante. En général, et pour la plupart des gens, nommer Eugène Delacroix, c'est jeter dans leur esprit je ne sais quelles idées vagues de fougue mal dirigée, de turbulence, d'inspiration aventurière, de désordre même; et pour ces messieurs qui font la majorité du public, le hasard, honnête et complaisant serviteur du génie, joue un grand rôle dans ses plus heureuses compositions. Dans la malheureuse époque de révolution dont je parlais tout à l'heure, et dont j'ai enregistré les nombreuses méprises, on a souvent comparé Eugène Delacroix à Victor Hugo. On avait le poëte romantique, il fallait le peintre. Cette nécessité de trouver à tout prix des pendants et des analogues dans les différents arts amène souvent d'étranges bévues, et celle-ci prouve encore combien l'on s'entendait peu. A coup sûr la comparaison dut paraître pénible à Eugène Delacroix, peut-être à tous deux; car si ma définition du romantisme (intimité, spiritualité, etc.) place Delacroix à la tête du romantisme, elle en exclut naturellement M. Victor Hugo. Le parallèle est resté dans le domaine banal des idées convenues, et ces deux préjugés encombrent encore beaucoup de têtes faibles. Il faut en finir une fois pour toutes avec ces niaiseries de rhétoricien. Je prie tous ceux qui ont éprouvé le besoin de créer à leur propre usage une certaine esthétique, et de déduire les causes des résultats, de comparer attentivement les produits de ces deux artistes.

M. Victor Hugo, dont je ne veux certainement pas diminuer la noblesse et la majesté, est un ouvrier beaucoup plus adroit qu'inventif, un travailleur bien plus correct que créateur. Delacroix est quelquefois maladroit, mais essentiellement créateur. M. Victor Hugo laisse voir dans tous ses tableaux, lyriques et dramatiques, un système d'alignement et de contrastes uniformes. L'excentricité elle-même prend chez lui des formes symétriques.

Il possède à fond et emploie froidement tous les tons de la rime, toutes les ressources de l'antithèse, toutes les tricheries de l'apposition. C'est un compositeur de décadence ou de transition, qui se sert de ses outils avec une dextérité véritablement admirable et curieuse. M. Hugo était naturellement académicien avant que de naître, et si nous étions encore au temps des merveilles fabuleuses, je croirais volontiers que les lions verts de l'Institut, quand il passait devant le sanctuaire courroucé, lui ont souvent murmuré d'une voix prophétique : « Tu seras de l'Académie ! »

Pour Delacroix, la justice est plus tardive. Ses œuvres, au contraire, sont des poëmes, et de grands poëmes naïvement conçus[a], exécutés avec l'insolence accoutumée du génie. – Dans ceux du premier, il n'y a rien à deviner; car il prend tant de plaisir à montrer son adresse, qu'il n'omet pas un brin d'herbe ni un reflet de réverbère. – Le second ouvre dans les siens de profondes avenues à l'imagination la plus voyageuse. – Le premier jouit d'une certaine tranquillité, disons mieux, d'un certain égoïsme de spectateur, qui fait planer sur toute sa poésie je ne sais quelle froideur et quelle modération, – que la passion tenace et bilieuse du se-

a. Il faut entendre par la naïveté du génie la science du métier combinée avec le *gnôti séauton*, mais la science modeste laissant le beau rôle au tempérament.

cond, aux prises avec les patiences du métier, ne lui permet pas toujours de garder. – L'un commence par le détail, l'autre par l'intelligence intime du sujet; d'où il arrive que celui-ci n'en prend que la peau, et que l'autre en arrache les entrailles. Trop matériel, trop attentif aux superficies de la nature, M. Victor Hugo est devenu un peintre en poésie; Delacroix, toujours respectueux de son idéal, est souvent, à son insu, un poëte en peinture.

Quant au second préjugé, le préjugé du hasard, il n'a pas plus de valeur que le premier. – Rien n'est plus impertinent ni plus bête que de parler à un grand artiste, érudit et penseur comme Delacroix, des obligations qu'il peut avoir au dieu du hasard. Cela fait tout simplement hausser les épaules de pitié. Il n'y a pas de hasard dans l'art, non plus qu'en mécanique. Une chose heureusement trouvée est la simple conséquence d'un bon raisonnement, dont on a quelquefois sauté les déductions intermédiaires, comme une faute est la conséquence d'un faux principe. Un tableau est une machine dont tous les systèmes sont intelligibles pour un œil exercé; où tout a sa raison d'être, si le tableau est bon; où un ton est toujours destiné à en faire valoir un autre; où une faute occasionnelle de dessin est quelquefois nécessaire pour ne pas sacrifier quelque chose de plus important.

Cette intervention du hasard dans les affaires de peinture de Delacroix est d'autant plus invraisemblable qu'il est un des rares hommes qui restent originaux après avoir puisé à toutes les vraies sources, et dont l'individualité indomptable a passé alternativement sous le joug secoué de tous les grands maîtres. – Plus d'un serait assez étonné de voir une étude de lui d'après Raphaël, chef-d'œuvre patient et laborieux d'imitation, et peu de personnes se souviennent aujourd'hui des lithographies qu'il a faites d'après des médailles et des pierres gravées.

Voici quelques lignes de M. Henri Heine qui expliquent assez bien la méthode de Delacroix, méthode qui est, comme chez tous les hommes vigoureusement constitués, le résultat de son tempérament : « En fait d'art, je suis surnaturaliste. Je crois que l'artiste ne peut trouver dans la nature tous ses types, mais que les plus remarquables lui sont révélés dans son âme, comme la symbolique innée d'idées innées, et au même instant. Un moderne professeur d'esthétique, qui a écrit des *Recherches sur l'Italie*, a voulu remettre en honneur le vieux principe de *l'imitation de la nature*, et soutenir que l'artiste plastique devait trouver dans la nature tous ses types. Ce professeur, en étalant ainsi son principe suprême des arts plastiques, avait seulement oublié un de ces arts, l'un des plus primitifs, je veux dire l'architecture, dont on a essayé de retrouver après coup les types dans les feuillages des forêts, dans les grottes des rochers : ces types n'étaient point dans la nature extérieure, mais bien dans l'âme humaine. »

Delacroix part donc de ce principe, qu'un tableau doit avant tout reproduire la pensée intime de l'artiste, qui domine le modèle, comme le créateur la création; et de ce principe il en sort un second qui semble le contredire à première vue, – à savoir, qu'il faut être très-soigneux des moyens matériels d'exécution. – Il professe une estime fanatique pour la propreté des outils et la préparation des éléments de l'œuvre. – En effet, la peinture étant un art d'un raisonnement profond et qui demande la concurrence immédiate d'une foule de qualités, il est important que la main rencontre, quand elle se met à la besogne, le moins d'obstacles possible, et accomplisse avec une rapidité servile les ordres divins du cerveau : autrement l'idéal s'envole.

Aussi lente, sérieuse, consciencieuse est la conception du grand artiste, aussi preste est son exécution. C'est du reste une qualité qu'il partage avec celui dont l'opinion publique a fait son antipode, M. Ingres. L'accouchement n'est point l'enfantement, et ces grands seigneurs de la peinture, doués d'une paresse apparente, déploient une agilité merveilleuse à couvrir une toile. Le *Saint Symphorien* a été refait entièrement plusieurs fois, et dans le principe il contenait beaucoup moins de figures.

Pour E. Delacroix, la nature est un vaste dictionnaire dont il roule et consulte les feuillets avec un œil sûr et profond; et cette peinture, qui procède surtout du souvenir, parle surtout au souvenir. L'effet produit sur l'âme du spectateur est analogue aux moyens de l'artiste. Un tableau de Delacroix, *Dante et Virgile*, par exemple, laisse toujours une impression profonde, dont l'intensité s'accroît par la distance. Sacrifiant sans cesse le détail à l'ensemble, et craignant d'affaiblir la vitalité de sa pensée par la fatigue d'une exécution plus nette et plus calligraphique, il jouit pleinement d'une originalité insaisissable, qui est l'intimité du sujet.

L'exercice d'une dominante n'a légitimement lieu qu'au détriment du reste. Un goût excessif nécessite les sacrifices, et les chefs-d'œuvre ne sont jamais que des extraits divers de la nature. C'est pourquoi il faut subir les conséquences d'une grande passion, quelle qu'elle soit, accepter la fatalité d'un talent, et ne pas marchander avec le génie. C'est à quoi n'ont pas songé les gens qui ont tant raillé le dessin de Delacroix; en particulier les sculpteurs, gens partiaux et borgnes plus qu'il n'est permis, et dont le jugement vaut tout au plus la moitié d'un jugement d'architecte. – La sculpture, à qui la couleur est impossible et le mouvement difficile, n'a rien à démêler avec un artiste que préoccupent surtout le mouvement, la couleur et l'atmosphère. Ces trois éléments demandent nécessairement un contour un peu indécis, des lignes légères et flottantes, et l'audace de la touche. – Delacroix est le seul aujourd'hui dont l'originalité n'ait pas été envahie par le système des lignes droites; ses personnages sont toujours agités, et ses draperies voltigeantes. Au point de vue de Delacroix, la ligne n'est pas; car, si ténue qu'elle soit, un géomètre taquin peut toujours la supposer assez épaisse pour en contenir mille autres; et pour les coloristes, qui veulent imiter les palpitations éternelles de la nature, les lignes ne sont jamais, comme dans l'arc-en-ciel, que la fusion intime de deux couleurs.

D'ailleurs il y a plusieurs dessins, comme plusieurs couleurs : – exacts ou bêtes, physionomiques et imaginés.

Le premier est négatif, incorrect à force de réalité, naturel, mais saugrenu; le second est un dessin naturaliste, mais idéalisé, dessin d'un génie qui sait choisir, arranger, corriger, deviner, gourmander la nature; enfin le troisième, qui est le plus noble et le plus étrange, peut négliger la nature; il en représente une autre, analogue à l'esprit et au tempérament de l'auteur.

Le dessin physionomique appartient généralement aux passionnés, comme M. Ingres; le dessin de création est le privilège du génie[a].

La grande qualité du dessin des artistes suprêmes est la vérité du mouvement, et Delacroix ne viole jamais cette loi naturelle.

a. C'est ce que M. Thiers appelait l'imagination du dessin.

Passons à l'examen de qualités plus générales encore. – Un des caractères principaux du grand peintre est l'universalité. – Ainsi le poëte épique, Homère ou Dante, sait faire également bien une idylle, un récit, un discours, une description, une ode, etc.

De même, Rubens, s'il peint des fruits, peindra des fruits plus beaux qu'un spécialiste quelconque.

E. Delacroix est universel; il a fait des tableaux de genre pleins d'intimité, des tableaux d'histoire pleins de grandeur. Lui seul, peut-être, dans notre siècle incrédule, a conçu des tableaux de religion qui n'étaient ni vides et froids comme des œuvres de concours, ni pédants, mystiques ou néo-chrétiens, comme ceux de tous ces philosophes de l'art qui font de la religion une science d'archaïsme, et croient nécessaire de posséder avant tout la symbolique et les traditions primitives pour remuer et faire chanter la corde religieuse.

Cela se comprend facilement, si l'on veut considérer que Delacroix est, comme tous les grands maîtres, un mélange admirable de science, – c'est-à-dire un peintre complet, – et de naïveté, c'est-à-dire un homme complet. Allez voir à Saint-Louis au Marais cette *Pietà*, où la majestueuse reine des douleurs tient sur ses genoux le corps de son enfant mort, les deux bras étendus horizontalement dans un accès de désespoir, une attaque de nerfs maternelle. L'un des deux personnages qui soutient et modère sa douleur est éploré comme les figures les plus lamentables de l'*Hamlet*, avec laquelle œuvre celle-ci a du reste plus d'un rapport. – Des deux saintes femmes, la première rampe convulsivement à terre, encore revêtue des bijoux et des insignes du luxe; l'autre, blonde et dorée, s'affaisse plus mollement sous le poids énorme de son désespoir.

Le groupe est échelonné et disposé tout entier sur un fond d'un vert sombre et uniforme, qui ressemble autant à des amas de rochers qu'à une mer bouleversée par l'orage. Ce fond est d'une simplicité fantastique, et E. Delacroix a sans doute, comme Michel-Ange, supprimé l'accessoire pour ne pas nuire à la clarté de son idée. Ce chef-d'œuvre laisse dans l'esprit un sillon profond de mélancolie. – Ce n'était pas, du reste, la première fois qu'il attaquait les sujets religieux. *Le Christ aux Oliviers*, le *Saint Sébastien*, avaient déjà témoigné de la gravité et de la sincérité profonde dont il sait les empreindre.

Mais pour expliquer ce que j'affirmais tout à l'heure, – que Delacroix seul sait faire de la religion, – je ferai remarquer à l'observateur que, si ses tableaux les plus intéressants sont presque toujours ceux dont il choisit les sujets, c'est-à-dire ceux de fantaisie, – néanmoins la tristesse sérieuse de son talent convient parfaitement à notre religion, religion profondément triste, religion de la douleur universelle, et qui, à cause de sa catholicité même, laisse une pleine liberté à l'individu et ne demande pas mieux que d'être célébrée dans le langage de chacun, – s'il connaît la douleur et s'il est peintre.

Je me rappelle qu'un de mes amis, garçon de mérite d'ailleurs, coloriste déjà en vogue, – un de ces jeunes hommes précoces qui donnent des espérances toute leur vie, et beaucoup plus académique qu'il ne le croit lui-même, – appelait cette peinture : peinture de cannibale !

A coup sûr, ce n'est point dans les curiosités d'une palette encombrée, ni dans le dictionnaire des règles, que notre jeune ami saura trouver cette sanglante et farouche désolation, à peine compensée par le vert sombre de l'espérance !

Cet hymne terrible à la douleur faisait sur sa classique imagination l'effet des vins redoutables de l'Anjou, de l'Auvergne ou du Rhin, sur un estomac accoutumé aux pâles violettes du Médoc.

Ainsi, universalité de sentiment, – et maintenant universalité de science !

Depuis longtemps les peintres avaient, pour ainsi dire, désappris le genre *dit* de décoration. L'hémicycle des Beaux-Arts[9] est une œuvre puérile et maladroite, où les intentions se contredisent, et qui ressemble à une collection de portraits historiques. Le *Plafond d'Homère* est un beau tableau qui plafonne mal. La plupart des chapelles exécutées dans ces derniers temps, et distribuées aux élèves de M. Ingres, sont faites dans le système des Italiens primitifs, c'est-à-dire qu'elles veulent arriver à l'unité par la suppression des effets lumineux et par un vaste système de coloriages mitigés. Ce système, plus raisonnable sans doute, esquive les difficultés. Sous Louis XIV, Louis XV et Louis XVI, les peintres firent des décorations à grand fracas, mais qui manquaient d'unité dans la couleur et dans la composition.

E. Delacroix eut des décorations à fairc, et il résolut le grand problème. Il trouva l'unité dans l'aspect sans nuire à son métier de coloriste.

La Chambre des députés est là qui témoigne de ce singulier tour de force. La lumière, économiquement dispensée, circule à travers toutes ces figures, sans intriguer l'œil d'une manière tyrannique.

Le plafond circulaire de la bibliothèquc du Luxembourg est une œuvre plus étonnante encore, où le peintre est arrivé, – non-seulement à un effet encore plus doux et plus uni, sans rien supprimer des qualités de couleur et de lumière, qui sont le propre de tous ses tablcaux, – mais encore s'est révélé sous un aspect tout nouveau : Delacroix paysagiste !

Au lieu de peindre Apollon et les Muses, décoration invariable des Bibliothèques, E. Delacroix a cédé à son goût irrésistible pour Dante, que Shakspeare seul balance peut-être dans son esprit, et il a choisi le passage où Dante et Virgile rencontrent dans un lieu mystérieux les principaux poëtes de l'antiquité :

« Nous ne laissions pas d'aller, tandis qu'il parlait; mais nous traversions toujours la forêt, épaisse forêt d'esprits, veux-je dire. Nous n'étions pas bien éloignés de l'entrée de l'abîme, quand je vis un feu qui perçait un hémisphère de ténèbres. Quelques pas nous en séparaient encore, mais je pouvais déjà entrevoir que des esprits glorieux habitaient ce séjour.

« – O toi, qui honores toute science et tout art, quels sont ces esprits auxquels on fait tant d'honneur qu'on les sépare du sort des autres?

« Il me répondit : – Leur belle renommée, qui retentit là-haut dans votre monde, trouve grâce dans le ciel, qui les distingue des autres.

« Cependant une voix se fit entendre : « Honorez le sublime poëte; son ombre, qui était partie, nous revient. »

« La voix se tut, et je vis venir à nous quatre grandes ombres; leur aspect n'était ni triste ni joyeux.

« Le bon maître me dit : – Regarde celui qui marche, une épée à la main, en avant des trois autres, comme un roi : c'est Homère, poëte souverain; l'autre qui le suit est Horace le satirique; Ovide est le troisième, et le dernier est Lucain. Comme chacun d'eux partage avec moi le nom qu'a fait retentir la voix unanime, ils me font honneur et ils font bien !

« Ainsi je vis se réunir la belle école de ce maître du chant sublime, qui plane sur les autres comme l'aigle. Dès qu'ils eurent devisé ensemble quelque peu, ils se tournèrent vers moi avec un geste de salut, ce qui fit sourire mon guide. Et ils me firent encore plus d'honneur, car ils me reçurent dans leur troupe, de sorte que je fus le sixième parmi tant de génies[a] ....

....

.... »

Je ne ferai pas à E. Delacroix l'injure d'un éloge exagéré pour avoir si bien vaincu la concavité de sa toile et y avoir placé des figures droites. Son talent est au-dessus de ces choses-là. Je m'attache surtout à l'esprit de cette peinture. Il est impossible d'exprimer avec la prose tout le calme bienheureux qu'elle respire, et la profonde harmonie qui nage dans cette atmosphère. Cela fait penser aux pages les plus verdoyantes du *Télémaque*, et rend tous les souvenirs que l'esprit a emportés des récits élyséens. Le paysage, qui néanmoins n'est qu'un accessoire, est, au point de vue où je me plaçais tout à l'heure, – l'universalité des grands maîtres, – une chose des plus importantes. Ce paysage circulaire,

a. *L'Enfer*, de Dante, chant IV, traduction de Pier Angelo Fiorentino, la seule bonne pour les poètes et les littérateurs qui ne savent pas l'italien.

qui embrasse un espace énorme, est peint avec l'aplomb d'un peintre d'histoire, et la finesse et l'amour d'un paysagiste. Des bouquets de lauriers, des ombrages considérables le coupent harmonieusement; des nappes de soleil doux et uniforme dorment sur les gazons; des montagnes bleues ou ceintes de bois font un horizon à souhait *pour le plaisir des yeux*. Quant au ciel, il est bleu et blanc, chose étonnante chez Delacroix; les nuages, délayés et tirés en sens divers comme une gaze qui se déchire, sont d'une grande légèreté; et cette voûte d'azur, profonde et lumineuse, fuit à une prodigieuse hauteur. Les aquarelles de Bonington[10] sont moins transparentes.

Ce chef-d'œuvre, qui, selon moi, est supérieur aux meilleurs Véronèse, a besoin, pour être bien compris, d'une grande quiétude d'esprit et d'un jour très-doux. Malheureusement, le jour éclatant qui se précipitera par la grande fenêtre de la façade, sitôt qu'elle sera délivrée des toiles et des échafauds, rendra ce travail plus difficile.

Cette année-ci, les tableaux de Delacroix sont *L'Enlèvement de Rébecca*, tiré d'*Ivanhoé, Les Adieux de Roméo et de Juliette, Marguerite à l'église*, et *Un Lion*, à l'aquarelle.

Ce qu'il y a d'admirable dans *L'Enlèvement de Rébecca*, c'est une parfaite ordonnance de tons, tons intenses, pressés, serrés et logiques, d'où résulte un aspect saisissant. Dans presque tous les peintres qui ne sont pas coloristes, on remarque toujours des vides, c'est-à-dire de grands trous produits par des tons qui ne sont pas de niveau, pour ainsi dire; la peinture de Delacroix est comme la nature, elle a horreur du vide.

Roméo et Juliette, – sur le balcon, – dans les froides clartés du matin, se tiennent religieusement embrassés par le milieu du corps. Dans cette étreinte violente de l'adieu, Juliette, les mains posées sur les épaules de son amant, rejette la tête en arrière, comme pour respirer, ou par un mouvement d'orgueil et de passion joyeuse. Cette attitude insolite, – car presque tous les peintres collent les bouches des amoureux l'une contre l'autre, – est néanmoins fort naturelle; – ce mouvement vigoureux de la nuque est particulier aux chiens et aux chats heureux d'être caressés. – Les vapeurs violacées du crépuscule enveloppent cette scène et le paysage romantique qui la complète.

Le succès général qu'obtient ce tableau et la curiosité qu'il inspire prouvent bien ce que j'ai déjà dit aillcurs, – que Delacroix est populaire, quoi qu'en disent les peintres, et qu'il suffira de ne pas éloigner le public de ses œuvres, pour qu'il le soit autant que les peintres inférieurs.

Marguerite à l'église appartient à cette classe déjà nombreuse de charmants tableaux de genre, par lesquels Delacroix semble vouloir expliquer au public scs lithographies si amèrement critiquées.

Ce lion peint à l'aquarelle a pour moi un grand mérite, outre la beauté du dessin et de l'attitude : c'est qu'il est fait avec une grande bonhomie. L'aquarelle est réduite à son rôle modeste, et ne veut pas se faire aussi grosse que l'huile.

Il me reste, pour compléter cette analyse, à noter une dernière qualité chez Delacroix, la plus remarquable de toutes, et qui fait de lui le vrai peintre du XIXe siècle : c'est cette mélancolie singulière et opiniâtre qui s'exhale de toutes ses œuvres, et qui s'exprime et par le choix des sujets, et par l'expression des figures et par le geste, et par le style de la couleur. Delacroix affectionne Dante et Shakspeare, deux autres grands peintres de la douleur humaine; il les connaît à fond, et il sait les traduire librement. En contemplant la série de ses tableaux, on dirait qu'on assiste à la célébration de quelque mystère douloureux : *Dante et Virgile, Le Massacre de Scio,* le *Sardanapale, Le Christ aux Oliviers*, le *Saint Sébastien*, la *Médée, Les Naufragés*, et l'*Hamlet* si raillé et si peu compris. Dans plusieurs on trouve, par je ne sais quel constant hasard, une figure plus désolée, plus affaissée que les autres, en qui se résument toutes les douleurs environnantes; ainsi la femme agenouillée, à la chevelure pendante, sur le premier plan des *Croisés à Constantinople*; la vieille, si morne et si ridée, dans *Le Massacre de Scio*. Cette mélancolie respire jusque dans les *Femmes d'Alger*, son tableau le plus coquet et le plus fleuri. Ce petit poëme d'intérieur, plein de repos et de silence, encombré de riches étoffes et de brimborions de toilette, exhale je ne sais quel haut parfum de mauvais lieu qui nous guide assez vite vers les limbes insondés de la tristesse. En général, il ne peint pas de jolies femmes, au point de vue des gens du monde toutefois. Presque toutes sont malades, et resplendissent d'une certaine beauté intérieure. Il n'exprime point la force par la grosseur des muscles, mais par la tension des nerfs. C'est non-seulement la douleur qu'il sait le mieux exprimer, mais surtout, – prodigieux mystère de sa peinture, – la douleur morale ! Cette haute et sérieuse mélancolie brille d'un éclat morne, même dans sa couleur, large, simple, abondante en masses harmoniques, comme celle de tous les grands coloristes, mais plaintive et profonde comme une mélodie de Weber.

Chacun des anciens maîtres a son royaume, son apanage, – qu'il est souvent contraint de partager avec des rivaux illustres. Raphaël a la forme, Rubens et Véronèse la couleur, Rubens et Michel-Ange l'imagination du dessin. Une portion de l'empire restait, où Rembrandt seul avait fait quelques excursions, – le drame, – le drame naturel et vivant, le drame terrible et mélancolique, exprimé souvent par la couleur, mais toujours par le geste.

En fait de gestes sublimes, Delacroix n'a de rivaux qu'en dehors de son art. Je ne connais guère que Frédérick Lemaître et Macready[11].

C'est à cause de cette qualité toute moderne et toute nouvelle que Delacroix est la dernière expression du progrès dans l'art. Héritier de la grande tradition, c'est-à-dire de l'ampleur, de la noblesse et de la pompe dans la composition, et digne successeur des vieux maîtres, il a de plus qu'eux la maîtrise de la douleur, la passion, le geste ! C'est vraiment là ce qui fait l'importance de sa grandeur. – En effet, supposez que le bagage d'un des vieux illustres se perde, il aura presque toujours son analogue qui pourra l'expliquer et le faire deviner à la pensée de l'historien. Otez Delacroix, la grande chaîne de l'histoire est rompue et s'écoule à terre.

Dans un article qui a plutôt l'air d'une prophétie que d'une critique, à quoi bon relever des fautes de détail et des taches microscopiques ? L'ensemble est si beau, que je n'en ai pas le courage. D'ailleurs la chose est si facile, et tant d'autres l'ont faite ! – N'est-il pas plus nouveau de voir les gens par leur beau côté ? Les défauts de M. Delacroix sont parfois si visibles qu'ils sautent à l'œil le moins exercé. On peut ouvrir au hasard la première feuille venue, où pendant longtemps l'on s'est obstiné, à l'inverse de mon système, à ne pas voir les qualités radieuses qui constituent son originalité. On sait que les grands génies ne se trompent jamais à demi, et qu'ils ont le privilège de l'énormité dans tous les sens (...)

Exposition universelle[1]

– 1855 –

Beaux-Arts

I. Méthode de critique.

De l'idée moderne du progrès appliquée aux Beaux-Arts.

Déplacement de la vitalité.

Il est peu d'occupations aussi intéressantes, aussi attachantes, aussi pleines de surprises et de révélations pour un critique, pour un rêveur dont l'esprit est tourné à la généralisation, aussi bien qu'à l'étude des détails, et, pour mieux dire encore, à l'idée d'ordre et de hiérarchie universelle, que la comparaison des nations et de leurs produits respectifs. Quand je dis hiérarchie, je ne veux pas affirmer la suprématie de telle nation sur telle autre. Quoiqu'il y ait dans la nature des plantes plus ou moins saintes, des formes plus ou moins spirituelles, des animaux plus ou moins sacrés, et qu'il soit légitime de conclure, d'après les instigations de l'immense analogie universelle, que certaines nations – vastes animaux dont l'organisme est adéquat à leur milieu, – aient été préparées et éduquées par la Providence pour un but déterminé, but plus ou moins élevé, plus ou moins rapproché du ciel, – je ne veux pas faire ici autre chose qu'affirmer leur *égale* utilité aux yeux de CELUI qui est indéfinissable, et le miraculeux secours qu'elles se prêtent dans l'harmonie de l'univers.

Un lecteur, quelque peu familiarisé par la solitude (bien mieux que par les livres) à ces vastes contemplations, peut déjà deviner où j'en veux venir : – et, pour trancher court aux ambages et aux hésitations du style par une question presque équivalente à une formule, – je le demande à tout homme de bonne foi, pourvu qu'il ait un peu pensé et un peu voyagé, – que ferait, que dirait un Winckelmann[2] moderne (nous en sommes pleins, la nation en regorge, les paresseux en raffolent), que dirait-il en face d'un produit chinois, produit étrange, bizarre, contourné dans sa forme, intense par sa couleur, et quelquefois délicat jusqu'à l'évanouissement ? Cependant c'est un échantillon de la beauté universelle; mais il faut, pour qu'il soit compris, que le critique, le spectateur opère en lui-même une transformation qui tient du mystère, et que, par un phénomène de la volonté agissant sur l'imagination, il apprenne de lui-même à participer au milieu qui a donné naissance à cette floraison insolite. Peu d'hommes ont, – au complet, – cette grâce divine du cosmopolitisme; mais tous peuvent l'acquérir à des degrés divers. Les mieux doués à cet égard sont ces voyageurs solitaires qui ont vécu pendant des années au fond des bois, au milieu des vertigineuses prairies, sans autre compagnon que leur fusil, contemplant, disséquant, écrivant. Aucun voile scolaire, aucun paradoxe universitaire, aucune utopie pédagogique, ne se sont interposés entre eux et la complexe vérité. Ils savent l'admirable, l'immortel, l'inévitable rapport entre la forme et la fonction. Ils ne critiquent pas, ceux-là : ils contemplent, ils étudient.

Si, au lieu d'un pédagogue, je prends un homme du monde, un intelligent, et si je le transporte dans une contrée lointaine, je suis sûr que, si les étonnements du débarquement sont grands, si l'accoutumance est plus ou moins longue, plus ou moins laborieuse, la sympathie sera tôt ou tard si vive, si pénétrante, qu'elle créera en lui un monde nouveau d'idées, monde qui fera partie intégrante de lui-même et qui l'accompagnera, sous la forme de souvenirs, jusqu'à la mort. Ces formes de bâtiments, qui contrariaient d'abord son œil académique (tout peuple est académique en jugeant les autres, tout peuple est barbare quand il est jugé), ces végétaux inquiétants pour sa mémoire chargée des souvenirs natals, ces femmes et ces hommes dont les muscles ne vibrent pas suivant l'allure classique de son pays, dont la démarche n'est pas cadencée selon le rhythme accoutumé, dont le regard n'est pas projeté avec le même magnétisme, ces odeurs qui ne sont plus celles du boudoir maternel, ces fleurs mystérieuses dont la couleur profonde entre dans l'œil despotiquement, pendant que leur forme taquine le regard, ces fruits dont le goût trompe et déplace les sens, et révèle au palais des idées qui appartiennent à l'odorat, tout ce monde d'harmonies nouvelles entrera lentement en lui, le pénétrera patiemment, comme la vapeur d'une étuve aromatisée; toute cette vitalité inconnue sera ajoutée à sa vitalité propre; quelques milliers d'idées et de sensations enrichiront son dictionnaire de mortel, et même il est possible que, dépassant la mesure et transformant la justice en révolte, il fasse comme le Sicambre converti, qu'il brûle ce qu'il avait adoré, et qu'il adore ce qu'il avait brûlé.

Que dirait, qu'écrirait, – je le répète, en face de phénomènes insolites, un de ces *modernes professeurs-jurés* d'esthétique, comme les appelle Henri Heine, ce charmant esprit, qui serait un génie s'il se tournait plus souvent vers le divin ? L'insensé doctrinaire du Beau déraisonnerait, sans doute; enfermé dans l'aveuglante forteresse de son système, il blasphémerait la vie et la nature, et son fanatisme grec, italien ou parisien, lui persuaderait de défendre à ce peuple insolent de jouir, de rêver ou de penser par d'autres procédés que les siens propres; – science barbouillée d'encre, goût bâtard, plus barbares que les barbares, qui a oublié la couleur du ciel, la forme du végétal, le mouvement et l'odeur de l'animalité, et dont les doigts crispés, paralysés par la plume, ne peuvent plus courir avec agilité sur l'immense clavier des *correspondances* !

J'ai essayé plus d'une fois, comme tous mes amis, de m'enfermer dans un système pour y prêcher à mon aise. Mais un système est une espèce de damnation qui nous pousse à une abjuration perpétuelle; il en faut toujours inventer un autre, et cette fatigue est un cruel châtiment. Et toujours mon système était beau, vaste, spacieux, commode, propre et lisse surtout; du moins il me paraissait tel. Et toujours un produit spontané, inattendu, de la vitalité universelle venait donner un démenti à ma science enfantine et vieillotte, fille déplorable de l'utopie. J'avais beau déplacer ou étendre le criterium, il était toujours en retard sur l'homme universel, et courait sans cesse après le beau multiforme et versicolore, qui se meut dans les spirales infinies de la vie. Condamné sans cesse à l'humiliation d'une conversion nouvelle, j'ai pris un grand parti. Pour échapper à l'horreur de ces apostasies philosophiques, je me suis orgueilleusement résigné à la modestie : je me suis contenté de sentir; je suis revenu chercher un asile dans l'impeccable naïveté. J'en demande humblement pardon aux esprits académiques de tout genre qui habitent les différents ateliers de notre fabrique artistique.

C'est là que ma conscience philosophique a trouvé le repos; et, au moins, je puis affirmer, autant qu'un homme peut répondre de ses vertus, que mon esprit jouit maintenant d'une plus abondante impartialité.

Tout le monde conçoit sans peine que, si les hommes chargés d'exprimer le beau se conformaient aux règles des professeurs-jurés, le beau lui-même disparaîtrait de la terre, puisque tous les types, toutes les idées, toutes les sensations se confondraient dans une vaste unité, monotone et impersonnelle, immense comme l'ennui et le néant. La variété, condition *sine quâ non* de la vie, serait effacée de la vie. Tant il est vrai qu'il y a dans les productions multiples de l'art quelque chose de toujours nouveau qui échappera éternellement à la règle et aux analyses de l'école ! L'étonnement, qui est une des grandes jouissances causées par l'art et la littérature, tient à cette variété même des types et des sensations. – Le *professeur-juré*, espèce de tyran-mandarin, me fait toujours l'effet d'un impie qui se substitue à Dieu.

J'irai encore plus loin, n'en déplaise aux sophistes trop fiers qui ont pris leur science dans les livres, et, quelque délicate et difficile à exprimer que soit mon idée, je ne désespère pas d'y réussir. *Le beau est toujours bizarre*. Je ne veux pas dire qu'il soit volontairement, froidement bizarre, car dans ce cas il serait un monstre sorti des rails de la vie. Je dis qu'il contient toujours un peu de bizarrerie, de bizarrerie naïve, non voulue, inconsciente, et que c'est cette bizarrerie qui le fait être particulièrement le Beau. C'est son immatriculation, sa caractéristique. Renversez la proposition, et tâchez de concevoir un *beau banal*! Or, comment cette bizarrerie, nécessaire, incompressible, variée à l'infini, dépendante des milieux, des climats, des mœurs, de la race, de la religion et du tempérament de l'artiste, pourra-t-elle jamais être gouvernée, amendée, redressée, par les règles utopiques conçues dans un petit temple scientifique quelconque de la planète, sans danger de mort pour l'art lui-même ? Cette dose de bizarrerie qui constitue et définit l'individualité, sans laquelle il n'y a pas de beau, joue dans l'art (que l'exactitude de cette comparaison en fasse pardonner la trivialité) le rôle du goût ou de l'assaisonnement dans les mets, les mets ne différant les uns des autres, abstraction faite de leur utilité ou de la quantité de substance nutritive qu'ils contiennent, que par l'*idée* qu'ils révèlent à la langue.

Je m'appliquerai donc, dans la glorieuse analyse de cette belle Exposition, si variée dans ses éléments, si inquiétante par sa variété, si déroutante pour la pédagogie, à me dégager de toute espèce de pédanterie. Assez d'autres parleront le jargon de l'atelier et se feront valoir au détriment des artistes. L'érudition me paraît dans beaucoup de cas puérile et peu démonstrative de sa nature. Il me serait trop facile de disserter subtilement sur la composition symétrique ou équilibrée, sur la pondération des tons, sur le ton chaud et le ton froid, etc... O vanité ! je préfère parler au nom du sentiment, de la morale et du plaisir. J'espère que quelques personnes, savantes sans pédantisme, trouveront mon *ignorance* de bon goût.

On raconte que Balzac (qui n'écouterait avec respect toutes les anecdotes, si petites qu'elles soient, qui se rapportent à ce grand génie ?), se trouvant un jour en face d'un beau tableau, un tableau d'hiver, tout mélancolique et chargé de frimas, clairsemé de cabanes et de paysans chétifs, – après avoir contemplé une maisonnette d'où montait une maigre fumée, s'écria : « Que c'est beau ! Mais que font-ils dans cette cabane ? à quoi pensent-ils, quels sont leurs chagrins ? les récoltes ont-elles été bonnes ? *ils ont sans doute des échéances à payer ?* »

Rira qui voudra de M. de Balzac. J'ignore quel est le peintre qui a eu l'honneur de faire vibrer, conjecturer et s'inquiéter l'âme du grand romancier, mais je pense qu'il nous a donné ainsi, avec son adorable naïveté, une excellente leçon de critique. Il m'arrivera souvent d'apprécier un tableau uniquement par la somme d'idées ou de rêveries qu'il apportera dans mon esprit.

La peinture est une évocation, une opération

magique (si nous pouvions consulter là-dessus l'âme des enfants !), et quand le personnage évoqué, quand l'idée ressuscitée, se sont dressés et nous ont regardés face à face, nous n'avons pas le droit, – du moins ce serait le comble de la puérilité, – de discuter les formules évocatoires du sorcier. Je ne connais pas de problème plus confondant pour le pédantisme et le philosophisme, que de savoir en vertu de quelle loi les artistes les plus opposés par leur méthode évoquent les mêmes idées et agitent en nous des sentiments analogues.

Il est encore une erreur fort à la mode, de laquelle je veux me garder comme de l'enfer. – Je veux parler de l'idée du progrès. Ce fanal obscur, invention du philosophisme actuel, breveté sans garantie de la Nature ou de la Divinité, cette lanterne moderne jette des ténèbres sur tous les objets de la connaissance; la liberté s'évanouit, le châtiment disparaît. Qui veut y voir clair dans l'histoire doit avant tout éteindre ce fanal perfide. Cette idée grotesque, qui a fleuri sur le terrain pourri de la fatuité moderne, a déchargé chacun de son devoir, délivré toute âme de sa responsabilité, dégagé la volonté de tous les liens que lui imposait l'amour du beau : et les races amoindries, si cette navrante folie dure longtemps, s'endormiront sur l'oreiller de la fatalité dans le sommeil radoteur de la décrépitude. Cette infatuation est le diagnostic d'une décadence déjà trop visible.

Demandez à tout bon Français qui lit tous les jours *son* journal dans son estaminet ce qu'il entend par progrès, il répondra que c'est la vapeur, l'électricité et l'éclairage au gaz, miracles inconnus aux Romains, et que ces découvertes témoignent pleinement de notre supériorité sur les anciens; tant il s'est fait de ténèbres dans ce malheureux cerveau et tant les choses de l'ordre matériel et de l'ordre spirituel s'y sont si bizarrement confondues ! Le pauvre homme est tellement américanisé par ses philosophes zoocrates et industriels qu'il a perdu la notion des différences qui caractérisent les phénomènes du monde physique et du monde moral, du naturel et du surnaturel.

Si une nation entend aujourd'hui la question morale dans un sens plus délicat qu'on ne l'entendait dans le siècle précédent, il y a progrès; cela est clair. Si un artiste produit cette année une œuvre qui témoigne de plus de savoir ou de force imaginative qu'il n'en a montré l'année dernière, il est certain qu'il a progressé. Si les denrées sont aujourd'hui de meilleure qualité et à meilleur marché qu'elles n'étaient hier, c'est dans l'ordre matériel un progrès incontestable. Mais où est, je vous prie, la garantie du progrès pour le lendemain ? Car les disciples des philosophes de la vapeur et des allumettes chimiques l'entendent ainsi : le progrès ne leur apparaît que sous la forme d'une série indéfinie. Où est cette garantie ? Elle n'existe, dis-je, que dans votre crédulité et votre fatuité.

Je laisse de côté la question de savoir si, délicatisant l'humanité en proportion des jouissances nouvelles qu'il lui apporte, le progrès indéfini ne serait pas sa plus ingénieuse et sa plus cruelle torture; si, procédant par une opiniâtre négation de lui-même, il ne serait pas un mode de suicide incessamment renouvelé, et si, enfermé dans le cercle de feu de la logique divine, il ne ressemblerait pas au scorpion qui se perce lui-même avec sa terrible queue, cet éternel *desideratum* qui fait son éternel désespoir ?

Transportée dans l'ordre de l'imagination, l'idée du progrès (il y a eu des audacieux et des enragés de logique qui ont tenté de le faire) se dresse avec une absurdité gigantesque, une grotesquerie qui monte jusqu'à l'épouvante. La thèse n'est plus soutenable. Les faits sont trop palpables, trop connus. Ils se raillent du sophisme et l'affrontent avec imperturbabilité. Dans l'ordre poétique et artistique, tout révélateur a rarement un précurseur. Toute floraison est spontanée, individuelle. Signorelli[3] était-il vraiment le générateur de Michel-Ange ? Est-ce que Pérugin contenait Raphaël ? L'artiste ne relève que de lui-même. Il ne promet aux siècles à venir que ses propres œuvres. Il ne cautionne que lui-même. Il meurt sans enfants. Il a été *son roi, son prêtre et son Dieu*. C'est dans de tels phénomènes que la célèbre et orageuse formule de Pierre Leroux trouve sa véritable application.

Il en est de même des nations qui cultivent les arts de l'imagination avec joie et succès. La prospérité actuelle n'est garantie que pour un temps, hélas ! bien court. L'aurore fut jadis à l'orient, la lumière a marché vers le sud, et maintenant elle jaillit de l'occident. La France, il est vrai, par sa situation centrale dans le monde civilisé, semble être appelée à recueillir toutes les notions et toutes les poésies environnantes, et à les rendre aux autres peuples merveilleusement ouvrées et façonnées. Mais il ne faut jamais oublier que les nations, vastes êtres collectifs, sont soumises aux mêmes lois que les individus. Comme l'enfance, elles vagissent, balbutient, grossissent, grandissent. Comme la jeunesse et la maturité, elles produisent des œuvres sages et hardies. Comme la vieillesse, elles s'endorment sur une richesse acquise. Souvent il arrive que c'est le principe même qui a fait leur force et leur développement qui amène leur décadence, surtout quand ce principe, vivifié jadis par une ardeur conquérante, est devenu pour la majorité une espèce de routine. Alors, comme je le faisais entrevoir tout à l'heure, la vitalité se déplace, elle va visiter d'autres territoires et d'autres races; et il ne faut pas croire que les nouveaux venus héritent intégralement des anciens, et qu'ils reçoivent d'eux une doctrine toute faite. Il arrive souvent (cela est arrivé au moyen âge) que, tout étant perdu, tout est à refaire.

Celui qui visiterait l'Exposition universelle avec l'idée préconçue de trouver en Italie les enfants de Vinci, de Raphaël et de Michel-Ange, en Allemagne l'esprit d'Albert Dürer, en Espagne l'âme de Zurbaran et de Velasquez, se préparerait un inutile étonnement. Je n'ai ni le temps, ni la science suffisante peut-être pour rechercher quelles sont les lois qui déplacent la vitalité artistique, et pourquoi Dieu dépouille les nations quelquefois pour un temps, quelquefois pour toujours; je me contente de constater un fait très-fréquent dans l'histoire. Nous vivons dans un siècle où il faut répéter certaines banalités, dans un siècle orgueilleux qui se croit au-dessus des mésaventures de la Grèce et de Rome.

L'Exposition des peintres anglais est très-belle, très-singulièrement belle, et digne d'une longue et patiente étude. Je voulais commencer par la glorification de nos voisins, de ce peuple si admirablement riche en poëtes et en romanciers, du peuple de Shakspeare, de Crabbe[4] et de Byron, de Maturin[5] et de Godwin[6]; des concitoyens de Reynolds, de Hogarth et de Gainsborough. Mais je veux les étudier encore; mon excuse est excellente; c'est par une politesse extrême que je renvoie cette besogne si agréable. Je retarde pour mieux faire.

Je commence donc par une tâche plus facile : je vais étudier rapidement les principaux maîtres de l'école française, et analyser les éléments de progrès ou les ferments de ruine qu'elle contient en elle.

II. Ingres

Cette Exposition française est à la fois si vaste et généralement composée de morceaux si connus, déjà suffisamment déflorés par la curiosité parisienne, que la critique doit chercher plutôt à pénétrer intimement le tempérament de chaque artiste et les mobiles qui le font agir qu'à analyser, à raconter chaque œuvre minutieusement.

Quand David, cet astre froid, et Guérin et Girodet[7], ses satellites historiques, espèces d'abstracteurs de quintessence dans leur genre, se levèrent sur l'horizon de l'art, il se fit une grande révolution. Sans analyser ici le but qu'ils poursuivirent, sans en vérifier la légitimité, sans examiner s'ils ne l'ont pas outre-passé, constatons simplement qu'ils avaient un but, un grand but de réaction contre de trop vives et de trop aimables frivolités que je ne veux pas non plus apprécier ni caractériser; – que ce but ils le visèrent avec persévérance, et qu'ils marchèrent à la lumière de leur soleil artificiel avec une franchise, une décision et un ensemble dignes de véritables hommes de parti. Quand l'âpre idée s'adoucit et se fit caressante sous le pinceau de Gros[8], elle était déjà perdue.

Je me rappelle fort distinctement le respect prodigieux qui environnait au temps de notre enfance toutes ces figures, fantastiques sans le vouloir, tous ces spectres académiques; et moi-même je ne pouvais contempler sans une espèce de terreur religieuse tous ces grands flandrins hétéroclites, tous ces *beaux hommes* minces et solennels, toutes ces femmes bégueulement chastes, classiquement voluptueuses, les uns sauvant leur pudeur sous des sabres antiques, les autres derrière des draperies pédantesquement transparentes. Tout ce monde, véritablement hors nature, s'agitait, ou plutôt posait sous une lumière verdâtre, traduction bizarre du vrai soleil. Mais ces maîtres, trop célébrés jadis, trop méprisés aujourd'hui, eurent le grand mérite, si l'on ne veut pas trop se préoccuper de leurs procédés et de leurs systèmes bizarres, de ramener le caractère français vers le goût de l'héroïsme. Cette contemplation perpétuelle de l'histoire grecque et romaine ne pouvait, après tout, qu'avoir une influence stoïcienne salutaire; mais ils ne furent pas toujours aussi Grecs et Romains qu'ils voulurent le paraître. David, il est vrai, ne cessa jamais d'être l'héroïque, l'inflexible David, le révélateur despote. Quant à Guérin et Girodet, il ne serait pas difficile de découvrir en eux, d'ailleurs très-préoccupés, comme le prophète, de l'esprit de mélodrame, quelques légers grains corrupteurs, quelques sinistres amusants symptômes du futur Romantisme. Ne vous semble-t-il pas que cette *Didon*, avec sa toilette si précieuse et si théâtrale, langoureusement étalée au soleil couchant, comme une créole aux nerfs détendus, a plus de parenté avec les premières visions de Chateaubriand qu'avec les conceptions de Virgile, et que son œil humide, noyé dans les vapeurs du keepsake, annonce presque certaines Parisiennes de Balzac ? L'*Atala* de Girodet est, quoi qu'en pensent certains farceurs qui seront tout à l'heure bien vieux, un drame de beaucoup supérieur à une foule de fadaises modernes innombrables.

Mais aujourd'hui nous sommes en face d'un homme d'une immense, d'une incontestable renommée, et dont l'œuvre est bien autrement difficile à comprendre et à expliquer. J'ai osé tout à l'heure, à propos de ces malheureux peintres illustres, prononcer irrespectueusement le mot : *hétéroclites*. On ne peut donc pas trouver mauvais que, pour expliquer la sensation de certains tempéraments artistiques mis en contact avec les œuvres de M. Ingres, je dise qu'ils se sentent en face d'un *hétéroclisme* bien plus mystérieux et complexe que celui des maîtres de l'école républicaine et impériale, où cependant il a pris son point de départ.

Avant d'entrer plus décidément en matière, je tiens à constater une impression première sentie par beaucoup de personnes, et qu'elles se rappelleront inévitablement, sitôt qu'elles seront entrées dans le sanctuaire attribué aux œuvres de M. Ingres. Cette impression, difficile à caractériser, qui tient, dans des proportions inconnues, du malaise, de l'ennui et de la peur, fait penser vaguement, involontairement, aux défaillances causées par l'air raréfié, par l'atmosphère d'un laboratoire de chimie, ou par la conscience d'un milieu fantasmatique, je dirai plutôt d'un milieu qui imite le fantasmatique; d'une population automatique et qui troublerait nos sens par sa trop visible et palpable extranéité. Ce n'est plus là ce respect enfantin dont je parlais tout à l'heure, qui nous saisit devant les *Sabines*, devant le *Marat* dans sa baignoire, devant *le Déluge*, devant le mélodramatique *Brutus*. C'est une sensation puissante, il est vrai, – pourquoi nier la puissance de M. Ingres? – mais d'un ordre inférieur, d'un ordre quasi maladif. C'est presque une sensation négative, si cela pouvait se dire. En effet, il faut l'avouer tout de suite, le célèbre peintre, révolutionnaire à sa manière, a des mérites, des charmes même tellement incontestables et dont j'analyserai tout à l'heure la source, qu'il serait puéril de ne pas constater ici une lacune, une privation, un amoindrissement dans le jeu des facultés spirituelles. L'imagination qui soutenait ces grands maîtres, dévoyés dans leur gymnastique académique, l'imagination, cette reine des facultés, a disparu.

Plus d'imagination, partant plus de mouvement. Je ne pousserai pas l'irrévérence et la mauvaise volonté jusqu'à dire que c'est chez M. Ingres une résignation; je devine assez son caractère pour croire plutôt que c'est de sa part une immolation héroïque, un sacrifice sur un autel des facultés qu'il considère sincèrement comme plus grandioses et plus importantes.

C'est en quoi il se rapproche, quelque énorme que paraisse ce paradoxe, d'un jeune peintre dont les débuts remarquables se sont produits récemment avec l'allure d'une insurrection. M. Courbet, lui aussi, est un puissant ouvrier, une sauvage et patiente volonté; et les résultats qu'il a obtenus, résultats qui ont déjà pour quelques esprits plus de charme que ceux du grand maître de la tradition raphaélesque, à cause sans doute de leur solidité positive et de leur amoureux cynisme, ont, comme ces derniers, ceci de singulier qu'ils manifestent un esprit de sectaire, un massacreur de facultés. La politique, la littérature produisent, elles aussi, de ces vigoureux tempéraments, de ces protestants, de ces anti-surnaturalistes, dont la seule légitimation est un esprit de réaction quelquefois salutaire. La providence qui préside aux affaires de la peinture leur donne pour complices tous ceux que l'idée adverse prédominante avait lassés ou opprimés. Mais la différence est que le sacrifice héroïque que M. Ingres fait en l'honneur de la tradition et de l'idée du beau raphaélesque, M. Courbet l'accomplit au profit de la nature extérieure, positive, immédiate. Dans leur guerre à l'imagination, ils obéissent à des mobiles différents; et deux fanatismes inverses les conduisent à la même immolation.

Maintenant, pour reprendre le cours régulier de notre analyse, quel est le but de M. Ingres ? Ce n'est pas, à coup sûr, la traduction des sentiments, des passions, des variantes de ces passions et de ces sentiments; ce n'est pas non plus la représentation de grandes scènes historiques (malgré ses beautés italiennes, trop italiennes, le tableau du *Saint Symphorien*, italianisé jusqu'à l'empilement des figures, ne révèle certainement pas la sublimité d'une victime chrétienne, ni la bestialité féroce et indifférente à la fois des païens conservateurs). Que cherche donc, que rêve donc M. Ingres ? Qu'est-il venu dire en ce monde ? Quel appendice nouveau apporte-t-il à l'évangile de la peinture ?

Je croirais volontiers que son idéal est une espèce d'idéal fait moitié de santé, moitié de calme, presque d'indifférence, quelque chose d'analogue à l'idéal antique, auquel il a ajouté les curiosités et les minuties de l'art moderne. C'est cet accouplement qui donne souvent à ses œuvres leur charme bizarre. Epris ainsi d'un idéal qui mêle dans un adultère agaçant la solidité calme de Raphaël avec les recherches de la petite-maîtresse, M. Ingres devait surtout réussir dans les portraits; et c'est en effet dans ce genre qu'il a trouvé ses plus grands, ses plus légitimes succès. Mais il n'est point un de ces peintres à l'heure, un de ces fabricants banals de portraits auxquels un homme vulgaire peut aller, la bourse à la main, demander la reproduction de sa malséante personne. M. Ingres choisit ses modèles, et il choisit, il faut le reconnaître, avec un tact merveilleux, les modèles les plus propres à faire valoir son genre de talent. Les belles femmes, les natures riches, les santés calmes et florissantes, voilà son triomphe et sa joie !

Ici cependant se présente une question discutée cent fois, et sur laquelle il est toujours bon de revenir. Quelle est la qualité du dessin de M. Ingres ? Est-il d'une qualité supérieure ? Est-il absolument intelligent ? Je serai compris de tous les gens qui ont comparé entre elles les manières de dessiner des principaux maîtres en disant que le dessin de M. Ingres est le dessin d'un homme à système. Il croit que la nature doit être corrigée, amendée; que la tricherie heureuse, agréable, faite en vue du plaisir des yeux, est non-seulement un droit, mais un devoir. On avait dit jusqu'ici que la nature devait être interprétée, traduite dans son ensemble et avec toute sa logique; mais dans les œuvres du maître en question il y a souvent dol, ruse, violence, quelquefois tricherie et croc-en-jambe. Voici une armée de doigts trop uniformément allongés en fuseaux et dont les extrémités étroites oppriment les ongles, que Lavater[9] à l'inspection de cette poitrine large, de cet avant-bras musculeux, de cet ensemble un peu viril, aurait jugés devoir être carrés, symptômes d'un esprit porté aux occupations masculines, à la symétrie et aux ordonnances de l'art. Voici des figures délicates et des épaules simplement élégantes associées à des bras trop robustes, trop pleins d'une succulence raphaélique. Mais Raphaël aimait les gros bras, il fallait avant tout obéir et plaire au maître. Ici nous trouverons un nombril qui s'égare vers les côtes, là un sein qui pointe trop vers l'aisselle; ici, – chose moins excusable (car généralement ces différentes tricheries ont une excuse plus ou moins plausible et toujours facilement devinable dans le goût immodéré du *style*), – ici, dis-je, nous sommes tout à fait déconcertés par une jambe sans nom, toute maigre, sans muscles, sans formes, et sans pli au jarret (*Jupiter et Antiope*).

Remarquons aussi qu'emporté par cette préoccupation presque maladive du style, le peintre supprime souvent le modelé ou l'amoindrit jusqu'à l'invisible, espérant ainsi donner plus de valeur au contour, si bien que ses figures ont l'air de patrons d'une forme très-correcte, gonflés d'une matière molle et non vivante, étrangère à l'organisme humain. Il arrive quelquefois que l'œil tombe sur des morceaux charmants, irréprochablement vivants; mais cette méchante pensée traverse alors l'esprit, que ce n'est pas M. Ingres qui a cherché la nature, mais la nature qui a violé le peintre, et que cette haute et puissante dame l'a dompté par son ascendant irrésistible.

D'après tout ce qui précède, on comprendra facilement que M. Ingres peut être considéré comme un homme doué de hautes qualités, un amateur éloquent de la beauté, mais dénué de ce tempérament énergique qui fait la fatalité du génie. Ses préoccupations dominantes sont le goût de l'antique et le respect de l'école. Il a, en somme, l'admiration assez facile, le caractère assez éclectique, comme tous les hommes qui manquent de fatalité. Aussi le voyons-nous errer d'archaïsme en archaïsme; Titien (*Pie VII tenant chapelle*), les émailleurs de la Renaissance (*Vénus Anadyomène*), Poussin et Carrache[10] (*Vénus et Antiope*), Raphaël (*Saint Symphorien*), les primitifs allemands (tous les petits tableaux du genre imagier et anecdotique), les curiosités et le bariolage persan et chinois (la petite *Odalisque*), se disputent ses préférences. L'amour et l'influence de l'antiquité se sentent partout; mais M. Ingres me paraît souvent être à l'antiquité ce que le bon ton, dans ses caprices transitoires, est aux bonnes manières naturelles qui viennent de la dignité et de la charité de l'individu.

C'est surtout dans l'*Apothéose de l'Empereur Napoléon Ier*, tableau venu de l'Hôtel de ville, que M. Ingres a laissé voir son goût pour les Étrusques. Cependant les Étrusques, grands simplificateurs, n'ont pas poussé la simplification jusqu'à ne pas atteler les chevaux aux chariots. Ces chevaux surnaturels (en quoi sont-ils, ces chevaux qui semblent d'une matière polie, solide, comme le cheval de bois qui prit la ville de Troie ?) possèdent-ils donc la force de l'aimant pour entraîner le char derrière eux sans traits et sans harnais ? De l'empereur Napoléon j'aurais bien envie de dire que je n'ai point retrouvé en lui cette beauté épique et destinale dont le dotent généralement ses contemporains et ses historiens; qu'il m'est pénible de ne pas voir conserver le caractère extérieur et légendaire des grands hommes, et que le peuple, d'accord avec moi en ceci, ne conçoit guère son héros de prédilection que dans les costumes officiels des cérémonies ou sous cette historique capote gris de fer, qui, n'en déplaise aux amateurs forcenés du style, ne déparerait nullement une apothéose moderne.

Mais on pourrait faire à cette œuvre un reproche plus grave. Le caractère principal d'une apothéose doit être le sentiment surnaturel, la puissance d'ascension vers les régions supérieures, un entraînement, un vol irrésistible vers le ciel, but de toutes les aspirations humaines et habitacle classique de tous les grands hommes. Or, cette apothéose ou plutôt cet attelage tombe, tombe avec une vitesse proportionnée à sa pesanteur. Les chevaux entraînent le char vers la terre. Le tout, comme un ballon sans gaz, qui aurait gardé tout son lest, va inévitablement se briser sur la surface de la planète.

Quant à la *Jeanne d'Arc* qui se dénonce par une pédanterie outrée de moyens, je n'ose en parler. Quelque peu de sympathie que j'aie montré pour M. Ingres au gré de ses fanatiques, je préfère croire que le talent le plus élevé conserve toujours des droits à l'erreur. Ici, comme dans l'*Apothéose*, absence totale de sentiment et de surnaturalisme. Où donc est-elle, cette noble pucelle, qui, selon la promesse de ce bon M. Delécluze[11], devait se venger et nous venger des polissonneries de Voltaire ? Pour me résumer, je crois qu'abstraction faite de son érudition, de son goût intolérant et presque libertin de la beauté, la faculté qui a fait de M. Ingres ce qu'il est, le puissant, l'indiscutable, l'incontrôlable dominateur, c'est la volonté, ou plutôt un immense abus de la volonté. En somme, ce qu'il est, il le fut dès le principe. Grâce à cette énergie qui est en lui, il restera tel jusqu'à la fin. Comme il n'a pas progressé, il ne vieillira pas. Ses admirateurs trop passionnés seront toujours ce qu'ils furent, amoureux jusqu'à l'aveuglement; et rien ne sera changé en France, pas même la manie de prendre à un grand artiste des qualités bizarres qui ne peuvent être qu'à lui, et d'imiter l'inimitable.

Mille circonstances, heureuses d'ailleurs, ont concouru à la solidification de cette puissante renommée. Aux gens du monde M. Ingres s'imposait par un emphatique amour de l'antiquité et de la tradition. Aux excentriques, aux blasés, à mille esprits délicats toujours en quête de nouveautés, même de nouveautés amères, il plaisait par la bizarrerie. Mais ce qui fut bon, ou tout au moins séduisant, en lui eut un effet déplorable dans la foule des imitateurs; c'est ce que j'aurai plus d'une fois l'occasion de démontrer.

III. Eugène Delacroix

MM. Eugène Delacroix et Ingres se partagent la faveur et la haine publiques. Depuis longtemps l'opinion a fait un cercle autour d'eux comme autour de deux lutteurs. Sans donner notre acquiescement à cet amour commun et puéril de l'antithèse, il nous faut commencer par l'examen de ces deux maîtres français, puisque autour d'eux, au-dessous d'eux, se sont groupées et échelonnées presque toutes les individualités qui composent notre personnel artistique.

En face des trente-cinq tableaux de M. Delacroix, la première idée qui s'empare du spectateur est l'idée d'une vie bien remplie, d'un amour opiniâtre incessant de l'art. Quel est le meilleur tableau ? on ne saurait le trouver; le plus intéressant ? on hésite. On croit découvrir par-ci par-là des échantillons de progrès; mais si de certains tableaux plus récents témoignent que certaines importantes qualités ont été poussées à outrance, l'esprit impartial perçoit avec confusion que dès ses premières productions, dès sa jeunesse (*Dante et Virgile aux enfers* est de 1822), M. Delacroix fut grand. Quelquefois il a été plus délicat, quelquefois plus singulier, quelquefois plus peintre, mais toujours il a été grand.

Devant une destinée si noblement, si heureusement remplie, une destinée bénie par la nature et menée à bonne fin par la plus admirable volonté, je sens flotter incessamment dans mon esprit les vers du grand poëte[12] :

Il naît sous le soleil de nobles créatures
Unissant ici-bas tout ce qu'on peut rêver :
Corps de fer, cœurs de flamme; admirables natures !

Dieu semble les produire afin de se prouver;
Il prend pour les pétrir une argile plus douce,
Et souvent passe un siècle à les parachever.

Il met, comme un sculpteur, l'empreinte de son [pouce
Sur leurs fronts rayonnants de la gloire des cieux,
Et l'ardente auréole en gerbes d'or y pousse.

Ces hommes-là s'en vont, calmes et radieux,
Sans quitter un instant leur pose solennelle,
Avec l'œil immobile et le maintien des dieux.

....

Ne leur donnez qu'un jour, ou donnez-leur cent ans,
L'orage ou le repos, la palette ou le glaive :
Ils mèneront à bout leurs dessins éclatants.

Leur existence étrange est le réel du rêve !
Ils exécuteront votre plan idéal,
Comme un maître savant le croquis d'un élève.

Vos désirs inconnus, sous l'arceau triomphal,
Dont votre esprit en songe arrondissait la voûte,
Passent assis en croupe au dos de leur cheval.

....

De ceux-là chaque peuple en compte cinq ou six,
Cinq ou six tout au plus, dans les siècles prospères,
Types toujours vivants dont on fait des récits.

Théophile Gautier appelle cela une *Compensation*. M. Delacroix ne pouvait pas, à lui seul, combler les vides d'un siècle ?

Jamais artiste ne fut plus attaqué, plus ridiculisé, plus entravé. Mais que nous font les hésitations des gouvernements (je parle d'autrefois), les criailleries de quelques salons bourgeois, les dissertations haineuses de quelques académies d'estaminet et le pédantisme des joueurs de dominos ? La preuve est faite, la question est à jamais vidée, le résultat est là, visible, immense, flamboyant.

M. Delacroix a traité tous les genres; son imagination et son savoir se sont promenés dans toutes les parties du domaine pittoresque. Il a fait (avec quel amour, avec quelle délicatesse !) de charmants petits tableaux, pleins d'intimité et de profondeur; il a *illustré* les murailles de nos palais, il a rempli nos musées de vastes compositions.

Cette année, il a profité très-légitimement de l'occasion de montrer une partie assez considérable du travail de sa vie, et de nous faire, pour ainsi dire, reviser les pièces du procès. Cette collection a été choisie avec beaucoup de tact, de manière à nous fournir des échantillons concluants et variés de son esprit et de son talent.

Voici *Dante et Virgile*, ce tableau d'un jeune homme, qui fut une révolution, et dont on a longtemps attribué faussement une figure à Géricault (le torse de l'homme renversé). Parmi les grands tableaux, il est permis d'hésiter entre *La Justice de Trajan* et *La Prise de Constantinople par les Croisés*. *La Justice de Trajan* est un tableau si prodigieusement lumineux, si aéré, si rempli de tumulte et de pompe ! L'empereur est si beau, la foule, tortillée autour des colonnes ou circulant avec le cortège, si tumultueuse, la veuve éplorée, si dramatique ! Ce tableau est celui qui fut *illustré* jadis par les petites plaisanteries de M. Karr[13], l'homme au bon sens de travers, sur le cheval rose; comme s'il n'existait pas des chevaux légèrement rosés, et comme si, en tout cas, le peintre n'avait pas le droit d'en faire.

Mais le tableau des *Croisés* est si profondément pénétrant, abstraction faite du sujet, par son harmonie orageuse et lugubre ! Quel ciel et quelle mer ! Tout y est tumultueux et tranquille, comme la suite d'un grand événement. La ville, échelonnée derrière les Croisés qui viennent de la traverser, s'allonge avec une prestigieuse vérité. Et toujours ces drapeaux miroitants, ondoyants, faisant se dérouler et claquer leurs plis lumineux dans l'atmosphère transparente ! Toujours la foule agissante, inquiète, le tumulte des armes, la pompe des vêtements, la vérité emphatique du geste dans les grandes circonstances de la vie ! Ces deux tableaux sont d'une beauté essentiellement shakspearienne. Car nul, après Shakspeare, n'excelle comme Delacroix à fondre dans une unité mystérieuse le drame et la rêverie.

Le public retrouvera tous ces tableaux d'orageuse mémoire qui furent des insurrections, des luttes et des triomphes : *Le Doge Marino Faliero* (salon de 1827. – Il est curieux de remarquer que *Justinien composant ses lois* et *Le Christ au jardin des Oliviers* sont de la même année), *L'Évêque de Liége*, cette admirable traduction de Walter Scott, pleine de foule, d'agitation et de lumière, *Les Massacres de Scio*, *Le Prisonnier de Chillon*, *Le Tasse en prison*, *La Noce juive*, *Les Convulsionnaires de Tanger*, etc., etc. Mais comment définir cet ordre de tableaux charmants, tels que *Hamlet*, dans la scène du crâne, et *Les Adieux de Roméo et Juliette*, si profondément pénétrants et attachants, que l'œil qui a trempé son regard dans leurs petits mondes mélancoliques ne peut plus les fuir, que l'esprit ne peut plus les éviter ?

> Et le tableau quitté *nous* tourmente et *nous* suit[14].

Ce n'est pas là le *Hamlet* tel que nous l'a fait voir Rouvière[15], tout récemment encore et avec tant d'éclat, âcre, malheureux et violent, poussant l'inquiétude jusqu'à la turbulence. C'est bien la bizarrerie romantique du grand tragédien; mais Delacroix, plus fidèle peut-être, nous a montré un *Hamlet* tout délicat et pâlot, aux mains blanches et féminines, une nature exquise, mais molle, légèrement indécise, avec un œil presque atone.

Voici la fameuse tête de la *Madeleine* renversée, au sourire bizarre et mystérieux, et si surnaturellement belle qu'on ne sait si elle est auréolée par la mort, ou embellie par les pâmoisons de l'amour divin.

A propos des *Adieux de Roméo et Juliette*, j'ai une remarque à faire que je crois importante. J'ai tant entendu plaisanter de la laideur des femmes de Delacroix, sans pouvoir comprendre ce genre de plaisanterie, que je saisis l'occasion pour protester contre ce préjugé. M. Victor Hugo le partageait, à ce qu'on m'a dit. Il déplorait, – c'était dans les beaux temps du Romantisme, – que celui à qui l'opinion publique faisait une gloire parallèle à la sienne commît de si monstrueuses erreurs à l'endroit de la beauté. Il lui est arrivé d'appeler les femmes de Delacroix des grenouilles. Mais M. Victor Hugo est un grand poëte sculptural qui a l'œil fermé à la spiritualité.

Je suis fâché que le *Sardanapale* n'ait pas reparu cette année. On y aurait vu de très-belles femmes, claires, lumineuses, roses, autant qu'il m'en souvient du moins. Sardanapale lui-même était beau comme une femme. Généralement les femmes de Delacroix peuvent se diviser en deux classes : les unes, faciles à comprendre, souvent mythologiques, sont nécessairement belles (la Nymphe couchée et vue de dos, dans le plafond de la galerie d'Apollon). Elles sont riches, très-fortes, plantureuses, abondantes, et jouissent d'une transparence de chair merveilleuse et de chevelures admirables.

Quant aux autres, quelquefois des femmes historiques (la *Cléopâtre* regardant l'aspic), plus souvent des femmes de caprice, de tableaux de genre, tantôt des Marguerite, tantôt des Ophélia, des Desdémone, des Sainte Vierge même, des Madeleine, je les appellerais volontiers des femmes d'intimité. On dirait qu'elles portent dans les yeux un secret douloureux, impossible à enfouir dans les profondeurs de la dissimulation. Leur pâleur est comme une révélation des batailles intérieures. Qu'elles se distinguent par le charme du crime ou par l'odeur de la sainteté, que leurs gestes soient alanguis ou violents, ces femmes malades du cœur ou de l'esprit ont dans les yeux le plombé de la fièvre ou la nitescence anormale et bizarre de leur mal, dans le regard, l'intensité du surnaturalisme.

Mais toujours, et quand même, ce sont des femmes *distinguées*, essentiellement *distinguées*; et enfin, pour tout dire en un seul mot, M. Delacroix me paraît être l'artiste le mieux doué pour exprimer la femme moderne, surtout la femme moderne dans sa manifestation héroïque, dans le sens infernal ou divin. Ces femmes ont même la beauté physique moderne, l'air de rêverie, mais la gorge abondante, avec une poitrine un peu étroite, le bassin ample, et des bras et des jambes charmants.

Les tableaux nouveaux et inconnus du public sont les *Deux Foscari*, la *Famille arabe*, *La Chasse aux Lions*, une *Tête de vieille femme* (un portrait par M. Delacroix est une rareté). Ces différentes peintures servent à constater la prodigieuse certitude à laquelle le maître est arrivé. *La Chasse aux Lions* est une véritable explosion de couleur (que ce mot soit pris dans le bon sens). Jamais couleurs plus belles, plus intenses, ne pénétrèrent jusqu'à l'âme par le canal des yeux.

Par le premier et rapide coup d'œil jeté sur l'ensemble de ces tableaux, et par leur examen minutieux et attentif, sont constatées plusieurs vérités irréfutables. D'abord il faut remarquer, et c'est très-important, que, vu à une distance trop grande pour analyser ou même comprendre le sujet, un tableau de Delacroix a déjà produit sur l'âme une impression riche, heureuse ou mélancolique. On dirait que cette peinture, comme les sorciers et les magnétiseurs, projette sa pensée à distance. Ce singulier phénomène tient à la puissance du coloriste, à l'accord parfait des tons, et à l'harmonie (préétablie dans le cerveau du peintre) entre la couleur et le sujet. Il semble que cette couleur, qu'on me pardonne ces subterfuges de langage pour exprimer des idées fort délicates, pense par elle-même, indépendamment des objets qu'elle habille. Puis ces admirables accords de sa couleur font souvent rêver d'harmonie et de mélodie, et l'impression qu'on emporte de ses tableaux est souvent quasi musicale. Un poëte[16] a essayé d'exprimer ces sensations subtiles dans des vers dont la sincérité peut faire passer la bizarrerie :

> Delacroix, lac de sang, hanté des mauvais anges,
> Ombragé par un bois de sapins toujours vert,
> Où, sous un ciel chagrin, des fanfares étranges
> Passent comme un soupir étouffé de Weber.

Lac de sang : le rouge; – *hanté des mauvais anges* : surnaturalisme; – *un bois toujours vert* : le vert, complémentaire du rouge; – *un ciel chagrin* : les fonds tumultueux et orageux de ses tableaux; – *les fanfares et Weber* : idées de musique romantique que réveillent les harmonies de sa couleur.

Du dessin de Delacroix, si absurdement, si niaisement critiqué, que faut-il dire, si ce n'est qu'il est des vérités élémentaires complètement méconnues; qu'un bon dessin n'est pas une ligne dure, cruelle, despotique, immobile, enfermant une figure comme une camisole de force; que le dessin doit être comme la nature, vivant et agité; que la simplification dans le dessin est une monstruosité, comme la tragédie dans le monde dramatique, que la nature nous présente une série infinie de lignes courbes, fuyantes, brisées, suivant une loi de génération impeccable, où le parallélisme est toujours indécis et sinueux, où les concavités et les convexités se correspondent et se poursuivent; que M. Delacroix satisfait admirablement à toutes ces conditions et que, quand même son dessin laisserait percer quelquefois des défaillances ou des outrances, il a au moins cet immense mérite d'être une protestation perpétuelle et efficace contre la barbare invasion de la ligne droite, cette ligne tragique et systématique, dont actuellement les ravages sont déjà immenses dans la peinture et dans la sculpture ?

Une autre qualité, très-grande, très-vaste, du talent de M. Delacroix, et qui fait de lui le peintre aimé des poëtes, c'est qu'il est essentiellement littéraire. Non-seulement sa peinture a parcouru, toujours avec succès, le champ des hautes littératures, non-seulement elle a traduit, elle a fréquenté Arioste, Byron, Dante, Walter Scott, Shakspeare, mais elle sait révéler des idées d'un ordre plus élevé, plus fines, plus profondes que la plupart des peintures modernes. Et remarquez bien que ce n'est jamais par la grimace, par la minutie, par la tricherie de moyens, que M. Delacroix arrive à ce prodigieux résultat; mais par l'ensemble, par l'accord profond, complet, entre sa couleur, son sujet, son dessin, et par la dramatique gesticulation de ses figures.

Edgar Poe dit, je ne sais plus où[17], que le résultat de l'opium pour les sens est de revêtir la nature entière d'un intérêt surnaturel qui donne à chaque objet un sens plus profond, plus volontaire, plus despotique. Sans avoir recours à l'opium, qui n'a connu ces admirables heures, véritables fêtes du cerveau, où les sens plus attentifs perçoivent des sensations plus retentissantes, où le ciel d'un azur plus transparent s'enfonce comme un abîme plus infini, où les sons tintent musicalement, où les couleurs parlent, où les parfums racontent des mondes d'idées ? Eh bien, la peinture de Delacroix me paraît la traduction de ces beaux jours de l'esprit. Elle est revêtue d'intensité et sa splendeur est privilégiée. Comme la nature perçue par des nerfs ultrasensibles, elle révèle le surnaturalisme.

Que sera M. Delacroix pour la postérité ? Que dira de lui cette redresseuse de torts ? Il est déjà facile, au point de sa carrière où il est parvenu, de l'affirmer sans trouver trop de contradicteurs. Elle dira, comme nous, qu'il fut un accord unique des facultés les plus étonnantes; qu'il eut comme Rembrandt le sens de l'intimité et la magie profonde, l'esprit de combinaison et de décoration comme Rubens et Lebrun, la couleur féerique comme Véronèse, etc.; mais qu'il eut aussi une qualité *sui generis*, indéfinissable et définissant la partie mélancolique et ardente du siècle, quelque chose de tout à fait nouveau, qui a fait de lui un artiste unique, sans générateur, sans précédent, probablement sans successeur, un anneau si précieux qu'il n'en est point de rechange, et qu'en le supprimant, si une pareille chose était possible, on supprimerait un monde d'idées et de sensations, on ferait une lacune trop grande dans la chaîne historique.

Eugène Delacroix[1]

Son œuvre, ses idées, ses mœurs

Messieurs, il y a longtemps que j'aspirais à venir parmi vous et à faire votre connaissance. Je sentais instinctivement que je serais bien reçu. Pardonnez-moi cette fatuité. Vous l'avez presque encouragée à votre insu.

Il y a quelques jours, un de mes amis, un de vos compatriotes, me disait : *C'est singulier ! Vous avez l'air heureux ! Serait-ce donc de n'être plus à Paris ?*

En effet, Messieurs, je subissais déjà cette sensation de bien-être dont m'ont parlé quelques-uns des Français qui sont venus causer avec vous. Je fais allusion à cette santé intellectuelle, à cette espèce de béatitude, nourrie par une atmosphère de liberté et de bonhomie, à laquelle nous autres Français, nous sommes peu accoutumés, ceux-là surtout, tels que moi, que la France n'a jamais traités en enfants gâtés.

Je viens, aujourd'hui, vous parler d'Eugène Delacroix. La patrie de Rubens, une des terres classiques de la peinture, accueillera, ce me semble, avec plaisir, le résultat de quelques méditations sur le Rubens français; le grand maître d'Anvers peut, *sans déroger*, tendre une main fraternelle à notre étonnant Delacroix.

Il y a quelques mois, quand M. Delacroix mourut, ce fut pour chacun une catastrophe inopinée; aucun de ses plus vieux amis n'avait été averti que sa santé était en grand danger depuis trois ou quatre mois. Eugène Delacroix a voulu ne scandaliser personne par le spectacle répugnant d'une agonie. Si une comparaison triviale m'est permise à propos de ce grand homme, je dirai qu'il est mort à la manière des chats ou des bêtes sauvages qui cherchent une tanière secrète pour abriter les dernières convulsions de leur vie.

Vous savez, Messieurs, qu'un coup subit, une balle, un coup de feu, un coup de poignard, une cheminée qui tombe, une chute de cheval, ne cause pas tout d'abord au blessé une grande douleur. La stupéfaction ne laisse pas de place à la douleur. Mais quelques minutes après, la victime comprend toute la gravité de sa blessure. Ainsi, Messieurs, quand j'appris la mort de M. Delacroix, je restai stupide, et deux heures après seulement, je me sentis envahi par une désolation que je n'essaierai pas de vous peindre, et qui peut se résumer ainsi : *Je ne le verrai plus jamais, jamais, jamais, celui que j'ai tant aimé, celui qui a daigné m'aimer et qui m'a tant appris*. Alors, je courus vers la maison du grand défunt, et je restai deux heures à parler de lui avec la vieille Jenny, une de ces servantes des anciens âges, qui se font une noblesse personnelle par leur adoration pour d'illustres maîtres. Pendant deux heures, nous sommes restés, causant et pleurant, devant cette boîte funèbre, éclairée de petites bougies, et sur laquelle reposait un misérable crucifix de cuivre. Car je n'ai pas eu le bonheur d'arriver à temps pour contempler, une dernière fois, le visage du grand peintre-poëte. Laissons ces détails; il y a beaucoup de choses que je ne pourrais pas révéler sans une explosion de haine et de colère.

Vous avez entendu parler, Messieurs, de la vente des tableaux et des dessins d'Eugène Delacroix, vous savez que le succès a dépassé toutes les prévisions. De vulgaires études d'atelier, auxquelles le maître n'attachait aucune importance, ont été vendues vingt fois plus cher qu'il ne vendait, lui vivant, ses meilleures œuvres, les plus délicieusement finies. M. Alfred Stevens[2] me disait, au milieu des scandales de cette vente funèbre : *Si Eugène Dela-*

croix peut, d'un lieu extranaturel, assister à cette réhabilitation de son génie, il doit être consolé de quarante ans d'injustice.

Vous savez, Messieurs, qu'en 1848, les républicains qu'on appelait républicains de la veille, furent passablement scandalisés et dépassés par le zèle des républicains du lendemain, ceux-là d'autant plus enragés qu'ils craignaient de n'avoir pas l'air assez sincères.

Alors, je répondis à M. Alfred Stevens : *Il est possible que l'ombre de Delacroix soit, pendant quelques minutes, chatouillée dans son orgueil trop longtemps privé de compliments; mais je ne vois dans toute cette furie de bourgeois entichés de la mode, qu'un nouveau motif pour le grand homme mort de s'obstiner dans son mépris de la nature humaine.*

Quelques jours après, j'ai composé ceci, moins pour faire approuver mes idées que pour amuser ma douleur.

L'œuvre et la vie d'Eugène Delacroix[1]

AU RÉDACTEUR DE
L'Opinion nationale

Monsieur,

Je voudrais, une fois encore, une fois suprême, rendre hommage au génie d'Eugène Delacroix, et je vous prie de vouloir bien accueillir dans votre journal ces quelques pages où j'essayerai d'enfermer, aussi brièvement que possible, l'histoire de son talent, la raison de sa supériorité, qui n'est pas encore, selon moi, suffisamment reconnue, et enfin quelques anecdotes et quelques observations sur sa vie et son caractère.

J'ai eu le bonheur d'être lié très-jeune (dès 1845, autant que je peux me souvenir[2]) avec l'illustre défunt, et dans cette liaison, d'où le respect de ma part et l'indulgence de la sienne n'excluaient pas la confiance et la familiarité réciproques, j'ai pu à loisir puiser les notions les plus exactes, non-seulement sur sa méthode, mais aussi sur les qualités les plus intimes de sa grande âme.

Vous n'attendez pas, monsieur, que je fasse ici une analyse détaillée des œuvres de Delacroix. Outre que chacun de nous l'a faite, selon ses forces et au fur et à mesure que le grand peintre montrait au public les travaux successifs de sa pensée, le compte en est si long, qu'en accordant seulement quelques lignes à chacun de ses principaux ouvrages, une pareille analyse remplirait presque un volume. Qu'il nous suffise d'en exposer ici un vif résumé.

Ses peintures monumentales s'étalent dans le *Salon du Roi* à la Chambre des députés, à la bibliothèque de la Chambre des députés, à la bibliothèque du palais du Luxembourg, à la galerie d'Apollon au Louvre, et au Salon de la Paix à l'Hôtel de ville. Ces décorations comprennent une masse énorme de sujets allégoriques, religieux et historiques, appartenant tous au domaine le plus noble de l'intelligence. Quant à ses tableaux dits de chevalet, ses esquisses, ses grisailles, ses aquarelles, etc., le compte monte à un chiffre approximatif de deux cent trente-six.

Les grands sujets exposés à divers *Salons* sont au nombre de soixante-dix-sept. Je tire ces notes du catalogue que M. Théophile Silvestre[3] a placé à la suite de son excellente notice sur Eugène Delacroix, dans son livre intitulé : *Histoire des peintres vivants*.

J'ai essayé plus d'une fois, moi-même, de dresser cet énorme catalogue; mais ma patience a été brisée par cette incroyable fécondité, et, de guerre lasse, j'y ai renoncé. Si M. Théophile Silvestre s'est trompé, il n'a pu se tromper qu'en moins.

Je crois, monsieur, que l'important ici est simplement de chercher la qualité caractéristique du génie de Delacroix et d'essayer de la définir; de chercher en quoi il diffère de ses plus illustres devanciers, tout en les égalant; de montrer enfin, autant que la parole écrite le permet, l'art magique grâce auquel il a pu traduire la *parole* par des images plastiques plus vives et plus approximantes que celles d'aucun créateur de même profession, – en un mot, de quelle *spécialité* la Providence avait chargé Eugène Delacroix dans le développement historique de la Peinture.

I

Qu'est-ce que Delacroix? Quels furent son rôle et son devoir en ce monde? Telle est la première question à examiner. Je serai bref et j'aspire à des conclusions immédiates. La Flandre a Rubens, l'Italie a Raphaël et Véronèse; la France a Lebrun, David et Delacroix.

Un esprit superficiel pourra être choqué, au premier aspect, par l'accouplement de ces noms, qui représentent des qualités et des méthodes si différentes. Mais un œil spirituel plus attentif verra tout de suite qu'il y a entre tous une parenté commune, une espèce de fraternité ou de cousinage dérivant de leur amour du grand, du national, de l'immense et de l'universel, amour qui s'est toujours exprimé dans la peinture dite décorative ou dans les grandes *machines*.

Beaucoup d'autres, sans doute, ont fait de grandes *machines*; mais ceux-là que j'ai nommés les ont faites de la manière la plus propre à laisser une trace éternelle dans la mémoire humaine. Quel est le plus grand de ces grands hommes si divers? Chacun peut décider la chose à son gré, suivant que son tempérament le pousse à préférer l'abondance prolifique, rayonnante, joviale presque, de Rubens, la douce majesté et l'ordre eurythmique de Raphaël, la couleur paradisiaque et comme d'après-midi de Véronèse, la sévérité austère et tendue de David, ou la faconde dramatique et quasi littéraire de Lebrun.

Aucun de ces hommes ne peut être remplacé; visant tous à un but semblable, ils ont employé des moyens différents tirés de leur nature personnelle. Delacroix, le dernier venu, a exprimé avec une véhémence et une ferveur admirables, ce que les autres n'avaient traduit que d'une manière incomplète. Au détriment de quelque autre chose peut-être, comme eux-mêmes avaient fait d'ailleurs? C'est possible; mais ce n'est pas la question à examiner.

Bien d'autres que moi ont pris soin de s'appesantir sur les conséquences fatales d'un génie essentiellement personnel; et il serait bien possible aussi, après tout, que les plus belles expressions du génie, ailleurs que dans le ciel pur, c'est-à-dire sur cette pauvre terre où la perfection elle-même est imparfaite, ne pussent être obtenues qu'au prix d'un inévitable sacrifice.

Mais enfin, monsieur, direz-vous sans doute, quel est donc ce je ne sais quoi de mystérieux que Delacroix, pour la gloire de notre siècle, a mieux traduit qu'aucun autre? C'est l'invisible, c'est l'impalpable, c'est le rêve, c'est les nerfs, c'est l'*âme*; et il a fait cela, – observez-le bien, monsieur, – sans autres moyens que le contour et la couleur; il l'a fait mieux que pas un; il l'a fait avec la perfection d'un peintre consommé, avec la rigueur d'un littérateur subtil, avec l'éloquence d'un musicien passionné. C'est, du reste, un des diagnostics de l'état spirituel de notre siècle que les arts aspirent, sinon à se suppléer l'un l'autre, du moins à se prêter réciproquement des forces nouvelles.

Delacroix est le plus *suggestif* de tous les peintres, celui dont les œuvres, choisies même parmi les secondaires et les inférieures, font le plus penser, et rappellent à la mémoire le plus de sentiments et de pensées poétiques déjà connus, mais qu'on croyait enfouis pour toujours dans la nuit du passé.

L'œuvre de Delacroix m'apparaît quelquefois comme une espèce de mnémotechnie de la grandeur et de la passion native de l'homme universel. Ce mérite très-particulier et tout nouveau de M. Delacroix, qui lui a permis d'exprimer simplement avec le contour, le geste de l'homme, si violent qu'il soit, et avec la couleur ce qu'on pourrait appeler l'atmosphère du drame humain, ou l'état de l'âme du créateur, – ce mérite tout original a toujours rallié autour de lui les sympathies des poëtes; et si, d'une pure manifestation matérielle il était permis de tirer une vérification philosophique, je vous prierais d'observer, monsieur, que, parmi la foule accourue pour lui rendre les suprêmes honneurs, on pouvait compter beaucoup plus de littérateurs que de peintres. Pour dire la vérité crue, ces derniers ne l'ont jamais parfaitement compris.

II

Et en cela, quoi de bien étonnant, après tout? Ne savons-nous pas que la saison des Michel-Ange, des Raphaël, des Léonard de Vinci, disons même des Reynolds, est depuis longtemps passée, et que le niveau intellectuel général des artistes a singulièrement baissé ? Il serait sans doute injuste de chercher parmi les artistes du jour des philosophes, des poëtes et des savants; mais il serait légitime d'exiger d'eux qu'il s'intéressassent, un peu plus qu'ils ne font, à la religion, à la poésie et à la science.

Hors de leurs ateliers que savent-ils ? qu'aiment-ils ? qu'expriment-ils ? Or, Eugène Delacroix était, en même temps qu'un peintre épris de son métier, un homme d'éducation générale, au contraire des autres artistes modernes qui, pour la plupart, ne sont guère que d'illustres ou d'obscurs rapins, de tristes spécialistes, vieux ou jeunes; de purs ouvriers, les uns sachant fabriquer des figures académiques, les autres des fruits, les autres des bestiaux. Eugène Delacroix aimait tout, savait tout peindre, et savait goûter tous les genres de talents. C'était l'esprit le plus ouvert à toutes les notions et à toutes les impressions, le jouisseur le plus éclectique et le plus impartial.

Grand liseur, cela va sans dire. La lecture des

poëtes laissait en lui des images grandioses et rapidement définies, des tableaux tout faits, pour ainsi dire. Quelque différent qu'il soit de son maître Guérin par la méthode et la couleur, il a hérité de la grande école républicaine et impériale l'amour des poëtes et je ne sais quel esprit endiablé de rivalité avec la parole écrite. David, Guérin et Girodet enflammaient leur esprit au contact d'Homère, de Virgile, de Racine et d'Ossian. Delacroix fut le traducteur émouvant de Shakspeare, de Dante, de Byron et d'Arioste. Ressemblance importante et différence légère.

Mais entrons un peu plus avant, je vous prie, dans ce qu'on pourrait appeler l'enseignement du maître, enseignement qui, pour moi, résulte non-seulement de la contemplation successive de toutes ses œuvres et de la contemplation simultanée de quelques-unes, comme vous avez pu en jouir à l'Exposition universelle de 1855, mais aussi de maintes conversations que j'ai eues avec lui.

III

Delacroix était passionnément amoureux de la passion, et froidement déterminé à chercher les moyens d'exprimer la passion de la manière la plus visible. Dans ce double caractère, nous trouvons, disons-le en passant, les deux signes qui marquent les plus solides génies, génies extrêmes qui ne sont guère faits pour plaire aux âmes timorées, faciles à satisfaire, et qui trouvent une nourriture suffisante dans les œuvres lâches, molles, imparfaites. Une passion immense, doublée d'une volonté formidable tel était l'homme.

Or, il disait sans cesse :

« Puisque je considère l'impression transmise à l'artiste par la nature comme la chose la plus importante à traduire, n'est-il pas nécessaire que celui-ci soit armé à l'avance de tous les moyens de traduction les plus rapides ? »

Il est évident qu'à ses yeux l'imagination était le don le plus précieux, la faculté la plus importante, mais que cette faculté restait impuissante et stérile, si elle n'avait pas à son service une habileté rapide, qui pût suivre la grande faculté despotique dans ses caprices impatients. Il n'avait pas besoin, certes, d'activer le feu de son imagination, toujours incandescente; mais il trouvait toujours la journée trop courte pour étudier les moyens d'expression.

C'est à cette préoccupation incessante qu'il faut attribuer ses recherches perpétuelles relatives à la couleur, à la qualité des couleurs, sa curiosité des choses de la chimie et ses conversations avec les fabricants de couleurs. Par là il se rapproche de Léonard de Vinci, qui, lui aussi, fut envahi par les mêmes obsessions.

Jamais Eugène Delacroix, malgré son admiration pour les phénomènes ardents de la vie, ne sera confondu parmi cette tourbe d'artistes et de littérateurs vulgaires dont l'intelligence myope s'abrite derrière le mot vague et obscur de *réalisme*. La première fois que je vis M. Delacroix, en 1845, je crois (comme les années s'écoulent, rapides et voraces !), nous causâmes beaucoup de lieux communs, c'est-à-dire des questions les plus vastes et cependant les plus simples : ainsi, de la nature, par exemple. Ici, monsieur, je vous demanderai la permission de me citer moi-même, car une paraphrase ne vaudrait pas les mots que j'ai écrits autrefois, presque sous la dictée du maître[4] :

« La nature n'est qu'un dictionnaire, répétait-il fréquemment. Pour bien comprendre l'étendue du sens impliqué dans cette phrase, il faut se figurer les usages ordinaires et nombreux du dictionnaire. On y cherche le sens des mots, la génération des mots, l'étymologie des mots, enfin on en extrait tous les éléments qui composent une phrase ou un récit; mais personne n'a jamais considéré le dictionnaire comme une *composition*, dans le sens poétique du mot. Les peintres qui obéissent à l'imagination cherchent dans leur dictionnaire les éléments qui s'accommodent à leur conception; encore, en les ajustant avec un certain art, leur donnent-ils une physionomie toute nouvelle. Ceux qui n'ont pas d'imagination copient le dictionnaire. Il en résulte un très-grand vice, le vice de la banalité, qui est plus particulièrement propre à ceux d'entre les peintres que leur spécialité rapproche davantage de la nature dite inanimée, par exemple les paysagistes, qui considèrent généralement comme un triomphe de ne pas montrer leur personnalité. A force de contempler et de copier, ils oublient de sentir et de penser.

« Pour ce grand peintre, toutes les parties de l'art, dont l'un prend celle-ci, et l'autre celle-là pour la principale, n'étaient, ne sont, veux-je dire, que les très-humbles servantes d'une faculté unique et supérieure. Si une exécution très-nette est nécessaire, c'est pour que le rêve soit très-nettement traduit; qu'elle soit très-rapide, c'est pour que rien ne se perde de l'impression extraordinaire qui accompagnait la conception; que l'attention de l'artiste se porte même sur la propreté matérielle des outils, cela se conçoit sans peine, toutes les précautions devant être prises pour rendre l'exécution agile et décisive. »

Pour le dire en passant, je n'ai jamais vu de palette aussi minutieusement et aussi délicatement préparée que celle de Delacroix. Cela ressemblait à un bouquet de fleurs savamment assorties.

« Dans une pareille méthode, qui est essentiellement logique, tous les personnages, leur disposition relative, le paysage ou l'intérieur qui leur sert de fond ou d'horizon, leurs vêtements, tout enfin doit servir à illuminer l'idée générale et porter sa couleur originelle, sa livrée pour ainsi dire. Comme un rêve est placé dans une atmosphère colorée qui lui est propre, de même une conception, devenue composition, a besoin de se mouvoir dans un milieu coloré qui lui soit particulier. Il y a évidemment un ton particulier attribué à une partie quelconque du tableau qui devient clef et qui gouverne les autres. Tout le monde sait que le jaune, l'orangé, le rouge, inspirent et représentent des idées de joie, de richesse, de gloire et d'amour; mais il y a des milliers d'atmosphères jaunes ou rouges, et toutes les autres couleurs seront affectées logiquement dans une quantité proportionnelle par l'atmosphère dominante. L'art du coloriste tient évidemment par de certains côtés aux mathématiques et à la musique.

« Cependant ses opérations les plus délicates se

font par un sentiment auquel un long exercice a donné une sûreté inqualifiable. On voit que cette grande loi d'harmonie générale condamne bien des papillotages et bien des crudités, même chez les peintres les plus illustres. Il y a des tableaux de Rubens qui non-seulement font penser à un feu d'artifice coloré, mais même à plusieurs feux d'artifice tirés sur le même emplacement. Plus un tableau est grand, plus la touche doit être large, cela va sans dire; mais il est bon que les touches ne soient pas matériellement fondues; elles se fondent naturellement à une distance voulue par la loi sympathique qui les a associées. La couleur obtient ainsi plus d'énergie et de fraîcheur.

« Un bon tableau, fidèle et égal au rêve qui l'a enfanté, doit être produit comme un monde. De même que la création telle que nous la voyons est le résultat de plusieurs créations dont les précédentes sont toujours complétées par la suivante, ainsi un tableau, conduit harmoniquement, consiste en une série de tableaux superposés, chaque nouvelle couche donnant au rêve plus de réalité et le faisant monter d'un degré vers la perfection. Tout au contraire, je me rappelle avoir vu dans les ateliers de Paul Delaroche[5] et d'Horace Vernet[6] de vastes tableaux, non pas ébauchés, mais commencés, c'est-à-dire absolument finis dans de certaines parties, pendant que certaines autres n'étaient encore indiquées que par un contour noir ou blanc. On pourrait comparer ce genre d'ouvrage à un travail purement manuel qui doit couvrir une certaine quantité d'espace en un temps déterminé, ou à une longue route divisée en un grand nombre d'étapes. Quand une étape est faite, elle n'est plus à faire; et quand toute la route est parcourue, l'artiste est délivré de son tableau.

« Tous ces préceptes sont évidemment modifiés plus ou moins par le tempérament varié des artistes. Cependant je suis convaincu que c'est là la méthode la plus sûre pour les imaginations riches. Conséquemment, de trop grands écarts faits hors la méthode en question témoignent d'une importance anormale et injustifiée donnée à quelque partie secondaire de l'art.

« Je ne crains pas qu'on dise qu'il y a absurdité à supposer une même méthode appliquée par une foule d'individus différents. Car il est évident que les rhétoriques et les prosodies ne sont pas des tyrannies inventées arbitrairement, mais une collection de règles réclamées par l'organisation même de l'être spirituel; et jamais les prosodies et les rhétoriques n'ont empêché l'originalité de se produire distinctement. Le contraire, à savoir qu'elles ont aidé l'éclosion de l'originalité, serait infiniment plus vrai.

« Pour être bref, je suis obligé d'omettre une foule de corollaires résultant de la formule principale, où est, pour ainsi dire, contenu tout le formulaire esthétique, et qui peut être exprimée ainsi : tout l'univers visible n'est qu'un magasin d'images et de signes auxquels l'imagination donnera une place et une valeur relative; c'est une espèce de pâture que l'imagination doit digérer et transformer. Toutes les facultés de l'âme humaine doivent être subordonnées à l'imagination qui les met en réquisition toutes à la fois. De même que bien connaître le dictionnaire n'implique pas nécessairement la connaissance de l'art de la composition, et que l'art de la composition lui-même n'implique pas l'imagination universelle. Ainsi un *bon* peintre peut n'être pas un *grand* peintre; mais un grand peintre est forcément un bon peintre, parce que l'imagination universelle renferme l'intelligence de tous les moyens et le désir de les acquérir.

« Il est évident que, d'après les notions que je viens d'élucider tant bien que mal (il y aurait encore tant de choses à dire, particulièrement sur les parties concordantes de tous les arts et les ressemblances dans leurs méthodes!), l'immense classe des artistes, c'est-à-dire des hommes qui sont voués à l'expression du beau, peut se diviser en deux camps bien distincts. Celui-ci qui s'appelle lui-même *réaliste*, mot à double entente et dont le sens n'est pas bien déterminé, et que nous appellerons, pour mieux caractériser son erreur, un *positiviste*, dit : " Je veux représenter les choses telles qu'elles sont, ou telles qu'elles seraient, en supposant que je n'existe pas. " L'univers sans l'homme. Et celui-là, l'imaginatif, dit : " Je veux illuminer les choses avec mon esprit et en projeter le reflet sur les autres esprits. " Bien que ces deux méthodes absolument contraires puissent agrandir ou amoindrir tous les sujets, depuis la scène religieuse jusqu'au plus modeste paysage, toutefois l'homme d'imagination a dû généralement se produire dans la peinture religieuse et dans la fantaisie, tandis que la peinture dite de genre et le paysage devaient offrir en apparence de vastes ressources aux esprits paresseux et difficilement excitables ....

« L'imagination de Delacroix ! Celle-là n'a jamais craint d'escalader les hauteurs difficiles de la religion; le ciel lui appartient, comme l'enfer, comme la guerre, comme l'Olympe, comme la volupté. Voilà bien le type du peintre-poëte ! Il est bien un des rares élus, et l'étendue de son esprit comprend la religion dans son domaine. Son imagination, ardente comme les chapelles ardentes, brille de toutes les flammes et de toutes les pourpres. Tout ce qu'il y a de douleur dans la passion, le passionne; tout ce qu'il y a de splendeur dans l'Église l'illumine. Il verse tour à tour sur ses toiles inspirées le sang, la lumière et les ténèbres. Je crois qu'il ajouterait volontiers, comme surcroît, son faste naturel aux majestés de l'Évangile.

« J'ai vu une petite *Annonciation*, de Delacroix, où l'ange visitant Marie n'était pas seul, mais conduit en cérémonie par deux autres anges, et l'effet de cette cour céleste était puissant et charmant. Un de ses tableaux de jeunesse, *Le Christ aux Oliviers* (" Seigneur, détournez de moi ce calice "), ruisselle de tendresse féminine et d'onction poétique. La douleur et la pompe, qui éclatent si haut dans la religion, font toujours écho dans son esprit. »

Et plus récemment encore, à propos de cette chapelle des Saints-Anges, à Saint-Sulpice[7] (*Héliodore chassé du Temple* et *La Lutte de Jacob avec l'Ange*), son dernier grand travail, si niaisement critiqué, je disais[8] :

« Jamais, même dans la *Clémence de Trajan*, même dans l'*Entrée des Croisés à Constantinople*, Delacroix n'a étalé un coloris plus splendidement et plus savamment surnaturel; jamais un dessin plus *volontairement* épique. Je sais bien que quelques personnes, des maçons sans doute, des architectes peut-être, ont, à propos de cette dernière œuvre, prononcé le mot *décadence*. C'est ici le lieu de rappeler que les grands maîtres, poëtes ou peintres, Hugo ou Delacroix, sont toujours en avance de plusieurs années sur leurs timides admirateurs.

« Le public est, relativement au génie, une horloge qui retarde. Qui, parmi les gens clairvoyants, ne comprend que le premier tableau du maître contenait tous les autres en germe ? Mais qu'il perfectionne sans cesse ses dons naturels, qu'il les aiguise avec soin, qu'il en tire des effets nouveaux, qu'il pousse lui-même sa nature à outrance, cela est inévitable, fatal et louable. Ce qui est justement la marque principale du génie de Delacroix, c'est qu'il ne connaît pas la décadence; il ne montre que le progrès. Seulement ses qualités primitives étaient si véhémentes et si riches, et elles ont si vigoureusement frappé les esprits, même les plus vulgaires, que le progrès journalier est pour eux insensible; les raisonneurs seuls le perçoivent clairement.

« Je parlais tout à l'heure des propos de quelques *maçons*. Je veux caractériser par ce mot cette classe d'esprits grossiers et matériels (le nombre en est infiniment grand), qui n'apprécient les objets que par le contour, ou, pis encore, par leurs trois dimensions : largeur, longueur et profondeur, exactement comme les sauvages et les paysans. J'ai souvent entendu des personnes de cette espèce établir une hiérarchie des qualités, absolument inintelligible pour moi; affirmer, par exemple, que la faculté qui permet à celui-ci de créer un contour exact, ou à celui-là un contour d'une beauté surnaturelle est supérieure à la faculté qui sait assembler des couleurs d'une manière enchanteresse. Selon ces gens-là, la couleur ne rêve pas, ne pense pas, ne parle pas. Il paraîtrait que, quand je contemple les œuvres d'un de ces hommes appelés spécialement coloristes, je me livre à un plaisir qui n'est pas d'une nature noble; volontiers m'appelleraient-ils matérialiste, réservant pour eux-mêmes l'aristocratique épithète de spiritualistes.

« Ces esprits superficiels ne songent pas que les deux facultés ne peuvent jamais être tout à fait séparées, et qu'elles sont toutes deux le résultat d'un germe primitif soigneusement cultivé. La nature extérieure ne fournit à l'artiste qu'une occasion sans cesse renaissante de cultiver ce germe; elle n'est qu'un amas incohérent de matériaux que l'artiste est invité à associer et à mettre en ordre, un *incitamentum*, un réveil pour les facultés sommeillantes. Pour parler exactement, il n'y a dans la nature ni ligne ni couleur. C'est l'homme qui crée la ligne et la couleur. Ce sont deux abstractions qui tirent leur égale noblesse d'une même origine.

« Un dessinateur-né (je le suppose enfant) observe dans la nature immobile ou mouvante de certaines sinuosités, d'où il tire une certaine volupté, et qu'il s'amuse à fixer par des lignes sur le papier, exagérant ou diminuant à plaisir leurs inflexions. Il apprend à créer le galbe, l'élégance, le caractère dans le dessin. Supposons un enfant destiné à perfectionner la partie de l'art qui s'appelle couleur : c'est du choc ou de l'accord heureux de deux tons et du plaisir qui en résulte pour lui, qu'il tirera de la science infinie des combinaisons de tons. La nature a été, dans les deux cas, une pure excitation.

« La ligne et la couleur font penser et rêver toutes les deux; les plaisirs qui en dérivent sont d'une nature différente, mais parfaitement égale et absolument indépendante du sujet du tableau.

« Un tableau de Delacroix, placé à une trop grande distance pour que vous puissiez juger de l'agrément des contours ou de la qualité plus ou moins dramatique du sujet, vous pénètre déjà d'une volupté surnaturelle. Il vous semble qu'une atmosphère magique a marché vers vous et vous enveloppe. Sombre, délicieuse pourtant, lumineuse, mais tranquille, cette impression, qui prend toujours sa place dans votre mémoire, prouve le vrai, le parfait coloriste. Et l'analyse du sujet, quand vous vous approchez, n'enlèvera rien et n'ajoutera rien à ce plaisir primitif, dont la source est ailleurs et loin de toute pensée concrète.

« Je puis inverser l'exemple. Une figure bien dessinée vous pénètre d'un plaisir tout à fait étranger au sujet. Voluptueuse ou terrible, cette figure ne doit son charme qu'à l'arabesque qu'elle découpe dans l'espace. Les membres d'un martyr qu'on écorche, le corps d'une nymphe pâmée, s'ils sont savamment dessinés, comportent un genre de plaisir dans les éléments duquel le sujet n'entre pour rien; si pour vous il en est autrement, je serai forcé de croire que vous êtes un bourreau ou un libertin.

« Mais, hélas! à quoi bon, à quoi bon toujours répéter ces inutiles vérités? »

Mais peut-être, monsieur, vos lecteurs priseront-ils beaucoup moins toute cette rhétorique que les détails que je suis impatient moi-même de leur donner sur la personne et sur les mœurs de notre regrettable grand peintre.

IV

C'est surtout dans les écrits d'Eugène Delacroix qu'apparaît cette dualité de nature dont j'ai parlé. Beaucoup de gens, vous le savez, monsieur, s'étonnaient de la sagesse de ses opinions écrites et de la modération de son style, les uns regrettant, les autres approuvant. *Les Variations du beau*, les études sur *Poussin*, *Prud'hon*[9], *Charlet*[10], et les autres morceaux publiés soit dans l'*Artiste*, dont le propriétaire était alors M. Ricourt, soit dans la *Revue des Deux Mondes*, ne font que confirmer ce caractère double des grands artistes, qui les pousse, comme critiques, à louer et à analyser plus voluptueusement les qualités dont ils ont le plus besoin, en tant que créateurs, et qui font antithèse à celles qu'ils possèdent surabondamment. Si Eugène Delacroix avait loué, préconisé ce que nous admirons surtout en lui, la violence, la soudaineté dans le geste, la turbulence de la composition, la magie de la couleur, en vérité, c'eût été le cas de s'étonner. Pourquoi chercher ce qu'on possède en quantité presque superflue, et comment ne pas vanter ce qui nous semble plus rare et plus difficile à acquérir ? Nous verrons toujours, monsieur, le même phénomène se produire chez les créateurs de génie, peintres ou littérateurs, toutes les fois qu'ils appliqueront leurs facultés à la critique. A l'époque de la grande lutte des deux écoles, la classique et la romantique, les esprits simples s'ébahissaient d'entendre Eugène Delacroix vanter sans cesse Racine, La Fontaine et Boileau. Je connais un poëte[11], d'une nature toujours orageuse et vibrante, qu'un vers de Malherbe, symétrique et carré de mélodie, jette dans de longues extases.

D'ailleurs, si sages, si sensés et si nets de tour et d'intention que nous apparaissent les fragments littéraires du grand peintre, il serait absurde de croire qu'ils furent écrits facilement et avec la certitude d'allure de son pinceau. Autant il était sûr d'*écrire* ce qu'il pensait sur une toile, autant il était préoccupé de ne pouvoir *peindre* sa pensée sur le papier. « La plume, – disait-il souvent, – n'est pas mon *outil*; je sens que je pense juste, mais le besoin de l'ordre, auquel je suis contraint d'obéir, m'effraye. Croiriez-vous que la nécessité d'écrire une page me donne la migraine ? » C'est par cette gêne, résultat du manque d'habitude, que peuvent être expliquées certaines locutions un peu usées, un peu *poncif*, *empire* même, qui échappent trop souvent à cette plume naturellement distinguée.

Ce qui marque le plus visiblement le style de Delacroix, c'est la concision et une espèce d'intensité sans ostentation, résultat habituel de la concentration de toutes les forces spirituelles vers un point donné. « *The hero is he who is immovably cen-*

tred », dit le moraliste d'outre-mer Emerson[12], qui, bien qu'il passe pour le chef de l'ennuyeuse école Bostonienne, n'en a pas moins une certaine pointe à la Sénèque, propre à aiguillonner la méditation. « *Le héros est celui-là qui est immuablement concentré.* » – La maxime que le chef du *Transcendantalisme* américain applique à la conduite de la vie et au domaine des affaires peut également s'appliquer au domaine de la poésie et de l'art. On pourrait dire aussi bien : « Le héros littéraire, c'est-à-dire le véritable écrivain, est celui qui est immuablement concentré. » Il ne vous paraîtra donc pas surprenant, monsieur, que Delacroix eût une sympathie très-prononcée pour les écrivains concis et concentrés, ceux dont la prose peu chargée d'ornements a l'air d'imiter les mouvements rapides de la pensée, et dont la phrase ressemble à un geste, Montesquieu, par exemple. Je puis vous fournir un curieux exemple de cette brièveté féconde et poétique. Vous avez comme moi, sans doute, lu ces jours derniers, dans la *Presse*, une très-curieuse et très-belle étude de M. Paul de Saint-Victor sur le plafond de la galerie d'Apollon. Les diverses conceptions du déluge, la manière dont les légendes relatives au déluge doivent être interprétées, le sens moral des épisodes et des actions qui composent l'ensemble de ce merveilleux tableau, rien n'est oublié; et le tableau lui-même est minutieusement décrit avec ce style charmant, aussi spirituel que coloré, dont l'auteur nous a montré tant d'exemples. Cependant le tout ne laissera dans la mémoire qu'un spectre diffus, quelque chose comme la très-vague lumière d'une amplification. Comparez ce vaste morceau aux quelques lignes suivantes, bien plus énergiques, selon moi, et bien plus aptes à *faire tableau*, en supposant même que le tableau qu'elles résument n'existe pas. Je copie simplement le programme distribué par M. Delacroix à ses amis, quand il les invita à visiter l'œuvre en question :

APOLLON VAINQUEUR DU SERPENT PYTHON

« Le dieu, monté sur son char, a déjà lancé une partie de ses traits; Diane sa sœur, volant à sa suite, lui présente son carquois. Déjà percé par les flèches du dieu de la chaleur et de la vie, le monstre sanglant se tord en exhalant dans une vapeur enflammée les restes de sa vie et de sa rage impuissante. Les eaux du déluge commencent à tarir, et déposent sur les sommets des montagnes ou entraînent avec elles les cadavres des hommes et des animaux. Les dieux se sont indignés de voir la terre abandonnée à des monstres difformes, produits impurs du limon. Ils se sont armés comme Apollon : Minerve, Mercure, s'élancent pour les exterminer en attendant que la Sagesse éternelle repeuple la solitude de l'univers. Hercule les écrase de sa massue;

Vulcain, le dieu du feu, chasse devant lui la nuit et les vapeurs impures, tandis que Borée et les Zéphyrs sèchent les eaux de leur souffle et achèvent de dissiper les nuages. Les Nymphes des fleuves et des rivières ont retrouvé leur lit de roseaux et leur urne encore souillée par la fange et par les débris. Des divinités plus timides contemplent à l'écart ce combat des dieux et des éléments. Cependant du haut des cieux la Victoire descend pour couronner Apollon vainqueur, et Iris, la messagère des dieux, déploie dans les airs son écharpe, symbole du triomphe de la lumière sur les ténèbres et sur la révolte des eaux. »

Je sais que le lecteur sera obligé de deviner beaucoup, de collaborer, pour ainsi dire, avec le rédacteur de la note; mais croyez-vous réellement, monsieur, que l'admiration pour le peintre me rende visionnaire en ce cas, et que je me trompe absolument en prétendant découvrir ici la trace des habitudes aristocratiques prises dans les bonnes lectures, et cette rectitude de pensée qui a permis à des hommes du monde, à des militaires, à des aventuriers, ou même à de simples courtisans, d'écrire, quelquefois à la diable, de fort beaux livres que nous autres, gens du métier, nous sommes contraints d'admirer?

V

Eugène Delacroix était un curieux mélange de scepticisme, de politesse, de dandysme, de volonté ardente, de ruse, de despotisme, et enfin d'une espèce de bonté particulière et de tendresse modérée qui accompagne toujours le génie. Son père appartenait à cette race d'hommes forts dont nous avons connu les derniers dans notre enfance; les uns fervents apôtres de Jean-Jacques, les autres disciples déterminés de Voltaire, qui ont tous collaboré, avec une égale obstination, à la Révolution française, et dont les survivants, jacobins ou cordeliers, se sont ralliés avec une parfaite bonne foi (c'est important à noter) aux intentions de Bonaparte.

Eugène Delacroix a toujours gardé les traces de cette origine révolutionnaire. On peut dire de lui, comme de Stendhal, qu'il avait grande frayeur d'être dupe. Sceptique et aristocrate, il ne connaissait la passion et le surnaturel que par sa fréquentation forcée avec le rêve. Haïsseur des multitudes, il ne les considérait guère que comme des briseuses d'images, et les violences commises en 1848 sur quelques-uns de ses ouvrages n'étaient pas faites pour le convertir au sentimentalisme politique de nos temps. Il y avait même en lui quelque chose, comme style, manières et opinions, de Victor Jacquemont[13]. Je sais que la comparaison est quelque peu injurieuse; aussi je désire qu'elle ne soit entendue qu'avec une extrême modération. Il y a dans Jacquemont du bel esprit bourgeois révolté et une gouaillerie aussi encline à mystifier les ministres de Brahma que ceux de Jésus-Christ. Delacroix, averti par le goût toujours inhérent au génie, ne pouvait jamais tomber dans ces vilenies. Ma comparaison n'a donc trait qu'à l'esprit de prudence et à la sobriété dont ils sont tous deux marqués. De même, les signes héréditaires que le XVIIIe siècle avait laissés sur sa nature avaient l'air empruntés surtout à cette classe aussi éloignée des utopistes que des furibonds, à la classe des sceptiques polis, les vainqueurs et les survivants, qui, généralement, relevaient plus de Voltaire que de Jean-Jacques. Aussi, au premier coup d'œil, Eugène Delacroix apparaissait simplement comme un homme *éclairé*, dans le sens honorable du mot, comme un parfait *gentleman* sans préjugés et sans passions. Ce n'était que par une fréquentation plus assidue qu'on pouvait pénétrer sous le vernis et deviner les parties abstruses de son âme. Un homme à qui on pourrait plus légitimement le comparer pour la tenue extérieure et pour les manières serait M. Mérimée. C'était la même froideur apparente, légèrement affectée, le même manteau de glace recouvrant une pudique sensibilité et une ardente passion pour le bien et pour le beau; c'était, sous la même hypocrisie d'égoïsme, le même dévouement aux amis secrets et aux idées de prédilection.

Il y avait dans Eugène Delacroix beaucoup du *sauvage*; c'était là la plus précieuse partie de son âme, la partie vouée tout entière à la peinture de ses rêves et au culte de son art. Il y avait en lui beaucoup de l'homme du monde; cette partie-là était destinée à voiler la première et à la faire pardonner. Ç'a été, je crois, une des grandes préoccupations de sa vie, de dissimuler les colères de son cœur et de n'avoir pas l'air d'un homme de génie. Son esprit de domination, esprit bien légitime, fatal d'ailleurs, avait presque entièrement disparu sous mille gentillesses. On eût dit un cratère de volcan artistement caché par des bouquets de fleurs.

Un autre trait de ressemblance avec Stendhal était sa propension aux formules simples, aux maximes brèves, pour la bonne conduite de la vie. Comme tous les gens d'autant plus épris de méthode que leur tempérament ardent et sensible semble les en détourner davantage, Delacroix aimait à façonner de ces petits catéchismes de morale pratique que les étourdis et les fainéants qui ne pratiquent rien attribueraient dédaigneusement à M. de la Palisse, mais que le génie ne méprise pas, parce qu'il est apparenté avec la simplicité; maximes saines, fortes, simples et dures, qui servent de cuirasse et de bouclier à celui que la fatalité de son génie jette dans une bataille perpétuelle.

Ai-je besoin de vous dire que le même esprit de sagesse ferme et méprisante inspirait les opinions de M. Delacroix en matière politique ? Il croyait que rien ne change, bien que tout ait l'air de changer, et que certaines époques climatériques, dans l'histoire des peuples, ramènent invariablement des phénomènes analogues. En somme, sa pensée, en ces sortes de choses, approximait beaucoup, surtout par ses côtés de froide et désolante résignation, la pensée d'un historien dont je fais pour ma part un cas tout particulier, et que vous-même, monsieur, si parfaitement rompu à ces thèses, et qui savez estimer le talent, même quand il vous contredit, vous avez été, j'en suis sûr, contraint d'admirer plus d'une fois. Je veux parler de M. Ferrari[14], le subtil et savant auteur de l'*Histoire de la raison d'Etat*. Aussi, le causeur qui, devant M. Delacroix, s'abandonnait aux enthousiasmes enfantins de l'utopie, avait bientôt à subir l'effet de son rire amer, imprégné d'une pitié sarcastique; et si, imprudemment, on lançait devant lui la grande chimère des temps modernes, le ballon-monstre de la perfectibilité et du progrès indéfinis, volontiers il vous demandait : « Où sont donc vos Phidias ? Où sont vos Raphaël ? »

Croyez bien cependant que ce dur bon sens n'enlevait aucune grâce à M. Delacroix. Cette verve d'incrédulité et ce refus d'être dupe assaisonnaient, comme un sel byronien, sa conversation si poétique et si colorée. Il tirait aussi de lui-même, bien plus qu'il ne les empruntait à sa longue fréquentation du monde, – de lui-même, c'est-à-dire de son génie et de la conscience de son génie, – une certitude, une aisance de manières merveilleuse, avec une politesse qui admettait, comme un prisme, toutes les nuances, depuis la bonhomie la plus cordiale jusqu'à l'impertinence la plus irréprochable. Il possédait bien vingt manières différentes de prononcer « *mon cher monsieur* », qui représentaient, pour une oreille exercée, une curieuse gamme de sentiments. Car enfin, il faut bien que je le dise, puisque je trouve en ceci un nouveau motif d'éloge, E. Delacroix, quoiqu'il fût un homme de génie, ou parce qu'il était un homme de génie complet, participait beaucoup du dandy. Lui-même avouait que dans sa jeunesse il s'était livré avec plaisir aux vanités les plus matérielles du dandysme, et racontait en riant, mais non sans une certaine gloriole, qu'il avait, avec le concours de son ami Bonington, fortement travaillé à introduire parmi la jeunesse élégante le goût des coupes anglaises dans la chaussure et dans le vêtement. Ce détail, je présume, ne vous paraîtra pas inutile; car il n'y a pas de souvenir superflu quand on a à peindre la nature de certains hommes.

Je vous ai dit que c'était surtout la partie naturelle de l'âme de Delacroix qui, malgré le voile amortissant d'une civilisation raffinée, frappait l'observateur attentif. Tout en lui était énergie, mais énergie dérivant des nerfs et de la volonté; car, physiquement, il était frêle et délicat. Le tigre, attentif à sa proie, a moins de lumière dans les yeux et de frémissements impatients dans les muscles que n'en laissait voir notre grand peintre, quand toute son âme était dardée sur une idée ou voulait s'emparer d'un rêve. Le caractère physique même de sa physionomie, son teint de Péruvien ou de Malais, ses yeux grands et noirs, mais rapetissés par les clignotements de l'attention, et qui semblaient déguster la lumière, ses cheveux abondants et lustrés, son front entêté, ses lèvres serrées, auxquelles une tension perpétuelle de volonté communiquait une expression cruelle, toute sa personne enfin suggérait l'idée d'une origine exotique. Il m'est arrivé plus d'une fois, en le regardant, de rêver des anciens souverains du Mexique, de ce Montézuma dont la main habile aux sacrifices pouvait immoler en un seul jour trois mille créatures humaines sur l'autel pyramidal du Soleil, ou bien de quelqu'un de ces princes hindous qui, dans les splendeurs des plus glorieuses fêtes, portent au fond de leurs yeux une sorte d'avidité insatisfaite et une nostalgie inexplicable, quelque chose comme le souvenir et le regret de choses non connues. Observez, je vous prie, que la couleur générale des tableaux de Delacroix participe aussi de la couleur propre aux paysages et aux intérieurs orientaux, et qu'elle produit une impression analogue à celle ressentie dans ces pays intertropicaux où une immense diffusion de lumière crée pour un œil sensible, malgré l'intensité des tons locaux, un résultat général quasi crépusculaire. La moralité de ses œuvres, si toutefois il est permis de parler de la morale en peinture, porte aussi un caractère molochiste visible. Tout, dans son œuvre, n'est que désolation, massacres, incendies; tout porte témoignage contre l'éternelle et incorrigible barbarie de l'homme. Les villes incendiées et fumantes, les victimes égorgées, les femmes violées, les enfants eux-mêmes jetés sous les pieds des chevaux ou sous le poignard des mères délirantes; tout cet œuvre, dis-je, ressemble à un hymne terrible composé en l'honneur de la fatalité et de l'irrémédiable douleur. Il a pu quelquefois, car il ne manquait certes pas de tendresse, consacrer son pinceau à l'expression de sentiments tendres et voluptueux; mais là encore l'inguérissable amertume était répandue à forte dose, et l'insouciance et la joie (qui sont les compagnes ordinaires de la volupté naïve) en étaient absentes. Une seule fois, je crois, il a fait une tentative dans le drôle et le bouffon[15], et comme s'il avait deviné que cela était au delà ou au-dessous de sa nature, il n'y est pas revenu.

VI

Je connais plusieurs personnes qui ont le droit de dire : « *Odi profanum vulgus* »; mais laquelle peut ajouter victorieusement : « *et arceo* »[16] ? La poignée de main trop fréquente avilit le caractère. Si jamais homme eut une *tour d'ivoire* bien défendue par les barreaux et les serrures, ce fut Eugène Delacroix. Qui a plus aimé sa *tour d'ivoire*, c'est-à-dire le secret ? Il l'eût, je crois, volontiers armée de canons et transportée dans une forêt ou sur un roc inaccessible. Qui a plus aimé le *home*, sanctuaire et tanière ? Comme d'autres cherchent le secret pour la débauche, il cherche le secret pour l'inspiration, et il s'y livrait à de véritables ribotes de travail. « *The one prudence in life is concentration; the one evil is dissipation* », dit le philosophe américain que nous avons déjà cité[17].

M. Delacroix aurait pu écrire cette maxime; mais, certes, il l'a austèrement pratiquée. Il était trop *homme du monde* pour ne pas mépriser le monde; et les efforts qu'il y dépensait pour n'être pas trop visiblement *lui-même* le poussaient naturellement à préférer notre société. *Notre* ne veut pas seulement impliquer l'humble auteur qui écrit ces lignes; mais aussi quelques autres, jeunes ou vieux, journalistes, poëtes, musiciens, auprès desquels il pouvait librement se détendre et s'abandonner.

Dans sa délicieuse étude sur Chopin, Liszt met Delacroix au nombre des plus assidus visiteurs du musicien-poëte, et dit qu'il aimait à tomber en profonde rêverie, aux sons de cette musique légère et passionnée qui ressemble à un brillant oiseau voltigeant sur les horreurs d'un gouffre.

C'est ainsi que, grâce à la sincérité de notre admiration, nous pûmes, quoique très-jeune alors, pénétrer dans cet atelier si bien gardé, où régnait, en dépit de notre rigide climat, une température équatoriale, et où l'œil était tout d'abord frappé par une solennité sobre et par l'austérité particulière de la vieille école. Tels, dans notre enfance, nous avions vu les ateliers des anciens rivaux de David, héros touchants depuis longtemps disparus. On sentait bien que cette retraite ne pouvait pas être habitée par un esprit frivole, titillé par mille caprices incohérents.

Là, pas de panoplies rouillées, pas de kriss malais, pas de vieilles ferrailles gothiques, pas de bijouterie, pas de friperie, pas de bric-à-brac, rien de ce qui accuse dans le propriétaire le goût de l'amusette et le vagabondage rhapsodique d'une rêverie enfantine. Un merveilleux portrait par Jordaens, qu'il avait déniché je ne sais où, quelques études et quelques copies faites par le maître lui-même, suffisaient à la décoration de ce vaste atelier, dont une lumière adoucie et apaisée éclairait le recueillement.

On verra probablement ces copies à la vente des dessins et des tableaux de Delacroix, qui est, m'a-t-on dit, fixée au mois de janvier prochain. Il avait deux manières très distinctes de copier. L'une, libre et large, faite moitié de fidélité, moitié de trahison, et où il mettait beaucoup de lui-même. De cette méthode résultait un composé bâtard et charmant, jetant l'esprit dans une incertitude agréable. C'est sous cet aspect paradoxal que m'apparut une grande copie des *Miracles de saint Benoît*, de Rubens. Dans l'autre manière, Delacroix se faisait l'esclave le plus obéissant et le plus humble de son modèle, et il arrivait à une exactitude d'imitation dont peuvent douter ceux qui n'ont pas vu ces miracles. Telles, par exemple, sont celles faites d'après deux têtes de Raphaël qui sont au Louvre, et où l'expression, le style et la manière sont imités avec une si parfaite naïveté, qu'on pourrait prendre alternativement et réciproquement les originaux pour les traductions.

Après un déjeuner plus léger que celui d'un Arabe, et sa palette minutieusement composée avec le soin d'une bouquetière ou d'un étalagiste d'étoffes, Delacroix cherchait à aborder l'idée interrompue; mais avant de se lancer dans son travail orageux, il éprouvait souvent de ces langueurs, de ces peurs, de ces énervements qui font penser à la pythonisse fuyant le dieu, ou qui rappellent Jean-Jacques Rousseau baguenaudant, paperassant et remuant ses livres pendant une heure avant d'attaquer le papier avec la plume[18]. Mais une fois la fascination de l'artiste opérée, il ne s'arrêtait plus que vaincu par la fatigue physique.

Un jour, comme nous causions de cette question toujours si intéressante pour les artistes et les écrivains, à savoir, de l'hygiène du travail et de la conduite de la vie[19], il me dit :

« Autrefois, dans ma jeunesse, je ne pouvais me mettre au travail que quand j'avais la promesse d'un plaisir pour le soir, musique, bal, ou n'importe quel autre divertissement. Mais, aujourd'hui, je ne suis plus semblable aux écoliers, je puis travailler sans cesse et sans aucun espoir de récompense. Et puis, – ajoutait-il, – si vous saviez comme un travail assidu rend indulgent et peu difficile en matière de plaisirs ! L'homme qui a bien rempli sa journée sera disposé à trouver suffisamment d'esprit au commissionnaire du coin et à jouer aux cartes avec lui. »

Ce propos me faisait penser à Machiavel jouant aux dés avec les paysans[20]. Or, un jour, un dimanche, j'ai aperçu Delacroix au Louvre, en compagnie de sa vieille servante, celle qui l'a si dévotement soigné et servi pendant trente ans, et lui, l'élégant, le raffiné, l'érudit, ne dédaignait pas de montrer et d'expliquer les mystères de la sculpture assyrienne à cette excellente femme, qui l'écoutait d'ailleurs avec une naïve application. Le souvenir de Machiavel et de notre ancienne conversation rentra immédiatement dans mon esprit.

La vérité est que, dans les dernières années de sa vie, tout ce qu'on appelle plaisir en avait disparu, un seul, âpre, exigeant, terrible, les ayant tous remplacés, le travail, qui alors n'était plus seulement une passion, mais aurait pu s'appeler une fureur.

Delacroix, après avoir consacré les heures de la journée à peindre, soit dans son atelier, soit sur les échafaudages où l'appelaient ses grands travaux décoratifs, trouvait encore des forces dans son amour de l'art, et il aurait jugé cette journée mal remplie si les heures du soir n'avaient pas été employées au coin du feu, à la clarté de la lampe, à dessiner, à couvrir le papier de rêves, de projets, de figures entrevues dans les hasards de la vie, quelquefois à copier des dessins d'autres artistes dont le tempérament était le plus éloigné du sien; car il avait la passion des notes, des croquis, et il s'y livrait en quelque lieu qu'il fût. Pendant un assez long temps, il eut pour habitude de dessiner chez les amis auprès desquels il allait passer ses soirées. C'est ainsi que M. Villot[21] possède une quantité considérable d'excellents dessins de cette plume féconde.

Il disait une fois à un jeune homme de ma

connaissance : « Si vous n'êtes pas assez habile pour faire le croquis d'un homme qui se jette par la fenêtre, pendant le temps qu'il met à tomber du quatrième étage sur le sol, vous ne pourrez jamais produire de grandes machines. » Je retrouve dans cette énorme hyperbole la préoccupation de toute sa vie, qui était, comme on le sait, d'exécuter assez vite et avec assez de certitude pour ne rien laisser s'évaporer de l'intensité de l'action ou de l'idée.

Delacroix était, comme beaucoup d'autres ont pu l'observer, un homme de conversation. Mais le plaisant est qu'il avait peur de la conversation comme d'une débauche, d'une dissipation où il risquait de perdre ses forces. Il commençait par vous dire, quand vous entriez chez lui :

« Nous ne causerons pas ce matin, n'est-ce pas ? ou que très-peu, très-peu. »

Et puis il bavardait pendant trois heures. Sa causerie était brillante, subtile, mais pleine de faits, de souvenirs et d'anecdotes; en somme, une parole nourrissante.

Quand il était excité par la contradiction, il se repliait momentanément, et au lieu de se jeter sur son adversaire de front, ce qui a le danger d'introduire les brutalités de la tribune dans les escarmouches de salon, il jouait pendant quelques temps avec son adversaire, puis revenait à l'attaque avec des arguments ou des faits imprévus. C'était bien la conversation d'un homme amoureux de luttes, mais esclave de la courtoisie, retorse, fléchissante à dessein, pleine de fuites et d'attaques soudaines.

Dans l'intimité de l'atelier, il s'abandonnait volontiers jusqu'à livrer son opinion sur les peintres ses contemporains, et c'est dans ces occasions-là que nous eûmes souvent à admirer cette indulgence du génie qui dérive peut-être d'une sorte particulière de naïveté ou de facilité à la jouissance.

Il avait des faiblesses étonnantes pour Decamps[22], aujourd'hui bien tombé, mais qui sans doute régnait encore dans son esprit par la puissance du souvenir. De même pour Charlet. Il m'a fait venir une fois chez lui, exprès pour me *tancer*, d'une façon véhémente, à propos d'un article irrespectueux que j'avais commis à l'endroit de cet enfant gâté du chauvinisme. En vain essayai-je de lui expliquer que ce n'était pas le Charlet des premiers temps que je blâmais, mais le Charlet de la décadence; non pas le noble historien des grognards, mais le bel esprit de l'estaminet. Je n'ai jamais pu me faire pardonner.

Il admirait Ingres en de certaines parties, et certes il lui fallait une grande force critique pour admirer par raison ce qu'il devait repousser par tempérament. Il a même copié soigneusement des photographies faites d'après quelques-uns de ces minutieux portraits à la mine de plomb, où se fait le mieux apprécier le dur et pénétrant talent de

M. Ingres, d'autant plus agile qu'il est plus à l'étroit.

La détestable couleur d'Horace Vernet ne l'empêchait pas de sentir la virtualité personnelle qui anime la plupart de ses tableaux, et il trouvait des expressions étonnantes pour louer ce pétillement et cette infatigable ardeur. Son admiration pour Meissonier[23] allait un peu trop loin. Il s'était approprié, presque par violence, les dessins qui avaient servi à préparer la composition de *La Barricade*, le meilleur tableau de M. Meissonier, dont le talent, d'ailleurs, s'exprime bien plus énergiquement par le simple crayon que par le pinceau. De celui-ci il disait souvent, comme rêvant avec inquiétude de l'avenir : « Après tout, de nous tous, c'est lui qui est le plus sûr de vivre ! » N'est-il pas curieux de voir l'auteur de si grandes choses jalouser presque celui qui n'excelle que dans les petites?

Le seul homme dont le nom eût puissance pour arracher quelques gros mots à cette bouche aristocratique était Paul Delaroche. Dans les œuvres de celui-là il ne trouvait sans doute aucune excuse, et il gardait indélébile le souvenir des souffrances que lui avait causées cette peinture sale et amère, *faite avec de l'encre* comme a dit, je crois, Théophile Gautier dans une crise d'indépendance[24].

Mais celui qu'il choisissait plus volontiers pour s'expatrier dans d'immenses causeries était l'homme qui lui ressemblait le moins par le talent comme par les idées, son véritable antipode, un homme à qui on n'a pas encore rendu toute la justice qui lui est due, et dont le cerveau, quoique embrumé comme le ciel charbonné de sa ville natale, contient une foule d'admirables choses. J'ai nommé M. Paul Chenavard[25].

Les théories abstruses du peintre philosophe lyonnais faisaient sourire Delacroix, et le pédagogue abstracteur considérait les voluptés de la pure peinture comme choses frivoles, sinon coupables. Mais si éloignés qu'ils fussent l'un de l'autre, et à cause même de cet éloignement, ils aimaient à se rapprocher, et comme deux navires attachés par les grappins d'abordage, ils ne pouvaient plus se quitter. Tous deux, d'ailleurs, étant fort lettrés et doués d'un remarquable esprit de sociabilité, ils se rencontraient sur le terrain commun de l'érudition. On sait qu'en général ce n'est pas la qualité par laquelle brillent les artistes.

Chenavard était donc pour Delacroix une rare ressource. C'était vraiment plaisir de les voir s'agiter dans une lutte innocente, la parole de l'un marchant pesamment comme un éléphant en grand appareil de guerre, la parole de l'autre vibrant comme un fleuret, également aiguë et flexible. Dans les dernières heures de sa vie, notre grand peintre témoigna le désir de serrer la main de son amical contradicteur. Mais celui-ci était alors loin de Paris.

VII

Les femmes sentimentales et précieuses seront peut-être choquées d'apprendre que, semblable à Michel-Ange (rappelez-vous la fin d'un de ses sonnets : « Sculpture ! divine Sculpture, tu es ma seule amante »[26]), Delacroix avait fait de la Peinture son unique muse, son unique maîtresse, sa seule et suffisante volupté.

Sans doute il avait beaucoup aimé la femme aux heures agitées de sa jeunesse. Qui n'a pas trop sacrifié à cette idole redoutable ? Et qui ne sait que ce sont justement ceux qui l'ont le mieux servie qui s'en plaignent le plus ? Mais longtemps déjà avant sa fin, il avait exclu la femme de sa vie. Musulman, il ne l'eût peut-être pas chassée de sa mosquée, mais il se fût étonné de l'y voir entrer, ne comprenant pas bien quelle sorte de conversation elle peut tenir avec Allah[27].

En cette question, comme en beaucoup d'autres, l'idée orientale prenait en lui vivement et despotiquement le dessus. Il considérait la femme comme un objet d'art, délicieux et propre à exciter l'esprit, mais un objet d'art désobéissant et troublant, si on lui livre le seuil du cœur, et dévorant gloutonnement le temps et les forces.

Je me souviens qu'une fois, dans un lieu public, comme je lui montrais le visage d'une femme d'une originale beauté et d'un caractère mélancolique, il voulut bien en goûter la beauté, mais me dit, avec son petit rire, pour répondre au reste : « Comment voulez-vous qu'une femme puisse être mélancolique ? » insinuant sans doute par là que, pour connaître le sentiment de la mélancolie, il manque à la femme *certaine chose* essentielle.

C'est là, malheureusement, une théorie bien injurieuse, et je ne voudrais pas préconiser des opinions diffamatoires sur un sexe qui a si souvent montré d'ardentes vertus. Mais on m'accordera bien que c'est une théorie de prudence; que le talent ne saurait trop s'armer de prudence dans un monde plein d'embûches, et que l'homme de génie possède le privilège de certaines doctrines (pourvu qu'elles ne troublent pas l'ordre) qui nous scandaliseraient justement chez le pur citoyen ou le simple père de famille.

Je dois ajouter, au risque de jeter une ombre sur sa mémoire, au jugement des âmes élégiaques, qu'il ne montrait pas non plus de tendres faiblesses pour l'enfance. L'enfance n'apparaissait à son esprit que les mains barbouillées de confitures (ce qui salit la toile et le papier), ou battant le tambour (ce qui trouble la méditation), ou incendiaire et animalement dangereuse comme le singe.

« Je me souviens fort bien, – disait-il parfois, – que quand j'étais enfant, *j'étais un monstre*. La connaissance du devoir ne s'acquiert que très-lentement, et ce n'est que par la douleur, le châtiment et par l'exercice progressif de la raison, que l'homme diminue peu à peu sa méchanceté naturelle. »

Ainsi, par le simple bon sens, il faisait un retour vers l'idée catholique. Car on peut dire que l'enfant, en général, est, relativement à l'homme, en général, beaucoup plus rapproché du péché originel.

VIII

On eût dit que Delacroix avait réservé toute sa sensibilité, qui était virile et profonde, pour l'austère sentiment de l'amitié. Il y a des gens qui s'éprennent facilement du premier venu; d'autres réservent l'usage de la faculté divine pour les grandes occasions. L'homme célèbre dont je vous entretiens avec tant de plaisir, s'il n'aimait pas qu'on le dérangeât pour de petites choses, savait devenir serviable, courageux, ardent, s'il s'agissait de choses importantes. Ceux qui l'ont bien connu ont pu apprécier, en maintes occasions, sa fidélité, son exactitude et sa solidité tout anglaises dans les rapports sociaux. S'il était exigeant pour les autres, il n'était pas moins sévère pour lui-même.

Ce n'est qu'avec tristesse et mauvaise humeur que je veux dire quelques mots de certaines accusations portées contre Eugène Delacroix. J'ai entendu des gens le taxer d'égoïsme et même d'avarice. Observez, monsieur, que ce reproche est toujours adressé par l'innombrable classe des âmes banales à celles qui s'appliquent à placer leur générosité aussi bien que leur amitié.

Delacroix était fort économe; c'était pour lui le seul moyen d'être, à l'occasion, fort généreux : je pourrais le prouver par quelques exemples, mais je craindrais de le faire sans y avoir été autorisé par lui, non plus que par ceux qui ont eu à se louer de lui.

Observez aussi que pendant de nombreuses années ses peintures se sont vendues fort mal, et que ses travaux de décoration absorbaient presque la totalité de son salaire, quand il n'y mettait pas de sa bourse. Il a prouvé un grand nombre de fois son mépris de l'argent, quand des artistes pauvres laissaient voir le désir de posséder quelqu'une de ses œuvres. Alors, semblable aux médecins d'un esprit libéral et généreux, qui tantôt font payer leurs soins et tantôt les donnent, il donnait ses tableaux ou les cédait à n'importe quel prix.

Enfin, monsieur, notons bien que l'homme supérieur est obligé, plus que tout autre, de veiller à sa défense personnelle. On peut dire que toute la société est en guerre contre lui. Nous avons pu vérifier le cas plus d'une fois. Sa politesse, on l'appelle froideur; son ironie, si mitigée qu'elle soit, méchanceté; son économie, avarice. Mais si, au contraire, le malheureux se montre imprévoyant, bien loin de le plaindre, la société dira : « C'est bien fait; sa pénurie est la punition de sa prodigalité. »

Je puis affirmer que Delacroix, en matière d'argent et d'économie, partageait complètement l'opinion de Stendhal, opinion qui concilie la grandeur et la prudence.

« L'homme d'esprit, disait ce dernier, doit s'appliquer à acquérir ce qui lui est strictement nécessaire pour ne dépendre de personne (du temps de Stendhal, c'était 6000 francs de revenu); mais si, cette sûreté obtenue, il perd son temps à augmenter sa fortune, c'est un misérable. »[28]

Recherche du nécessaire et mépris du superflu, c'est une conduite d'homme sage et de stoïcien.

Une des grandes préoccupations de notre peintre dans ses dernières années était le jugement de la postérité et la solidité incertaine de ses œuvres. Tantôt son imagination si sensible s'enflammait à l'idée d'une gloire immortelle, tantôt il parlait amèrement de la fragilité des toiles et des couleurs. D'autres fois il citait avec envie les anciens maîtres, qui ont eu presque tous le bonheur d'être traduits par des graveurs habiles, dont la pointe ou le burin a su s'adapter à la nature de leur talent, et il regrettait ardemment de n'avoir pas trouvé son traducteur. Cette friabilité de l'œuvre peinte, comparée avec la solidité de l'œuvre imprimée, était un de ses thèmes habituels de conversation.

Quand cet homme si frêle et si opiniâtre, si nerveux et si vaillant, cet homme unique dans l'histoire de l'art européen, l'artiste maladif et frileux, qui rêvait sans cesse de couvrir des murailles de ses grandioses conceptions, a été emporté par une de ces fluxions de poitrine dont il avait, ce semble, le convulsif pressentiment, nous avons tous senti quelque chose d'analogue à cette dépression d'âme, à cette sensation de solitude croissante que nous avaient fait déjà connaître la mort de Chateaubriand et celle de Balzac, sensation renouvelée tout récemment par la disparition d'Alfred de Vigny. Il y a dans un grand deuil national un affaissement de vitalité générale, un obscurcissement de l'intellect qui ressemble à une éclipse solaire, imitation momentanée de la fin du monde.

Je crois cependant que cette impression affecte surtout ces hautains solitaires qui ne peuvent se faire une famille que par les relations intellectuelles. Quant aux autres citoyens, pour la plupart, ils n'apprennent que peu à peu à connaître tout ce qu'a perdu la patrie en perdant le grand homme, et quel vide il fait en la quittant. Encore faut-il les avertir.

Je vous remercie de tout mon cœur, monsieur, d'avoir bien voulu me laisser dire librement tout ce que me suggérait le souvenir d'un des rares génies de notre malheureux siècle, – si pauvre et si riche à la fois, tantôt trop exigeant, tantôt trop indulgent, et souvent trop injuste.

Tableaux

SALON DE 1845[1]
Tableaux d'histoire

M. Delacroix est décidément le peintre le plus original des temps anciens et des temps modernes. Cela est ainsi, qu'y faire ? Aucun des amis de M. Delacroix, et des plus enthousiastes, n'a osé le dire simplement, crûment, impudemment, comme nous. Grâce à la justice tardive des heures qui amortissent les rancunes, les étonnements et les mauvais vouloirs, et emportent lentement chaque obstacle dans la tombe, nous ne sommes plus au temps où le nom de M. Delacroix était un motif à signe de croix pour *les arriéristes*, et un symbole de ralliement pour toutes les oppositions, intelligentes ou non; ces *beaux temps* sont passés. M. Delacroix restera toujours un peu contesté, juste autant qu'il faut pour ajouter quelques éclairs à son auréole. Et tant mieux ! Il a le droit d'être toujours jeune, car il ne nous a pas trompés, lui, il ne nous a pas menti comme quelques idoles ingrates que nous avons portées dans nos panthéons. M. Delacroix n'est pas encore de l'Académie, mais il en fait partie moralement; dès longtemps il a tout dit, dit tout ce qu'il faut pour être le premier – c'est convenu; – il ne lui reste plus – prodigieux tour de force d'un génie sans cesse en quête du neuf – qu'à progresser dans la voie du bien – où il a toujours marché.

M. Delacroix a envoyé cette année quatre tableaux :

1° LA MADELEINE DANS LE DÉSERT

C'est une tête de femme renversée dans un cadre très-étroit. A droite dans le haut, un petit bout de ciel ou de rocher – quelque chose de bleu; – les yeux de la Madeleine sont fermés, la bouche est molle et languissante, les cheveux épars. Nul, à moins de la voir, ne peut imaginer ce que l'artiste a mis de poésie intime, mystérieuse et romantique dans cette simple tête. Elle est peinte presque par hachures comme beaucoup de peintures de M. Delacroix; les tons, loin d'être éclatants ou intenses, sont très-doux et très-modérés; l'aspect est presque gris, mais d'une harmonie parfaite. Ce tableau nous démontre une vérité soupçonnée depuis longtemps et plus claire encore dans un autre tableau dont nous parlerons tout à l'heure; c'est que M. Delacroix est plus fort que jamais, et dans une voie de progrès sans cesse renaissante, c'est-à-dire qu'il est plus que jamais harmoniste.

2° DERNIÈRES PAROLES DE MARC-AURÈLE

Marc-Aurèle lègue son fils aux stoïciens. – Il est à moitié nu et mourant, et présente le jeune Commode, jeune, rose, mou et voluptueux et qui a l'air de s'ennuyer, à ses sévères amis groupés autour de lui dans des attitudes désolées.

Tableau splendide, magnifique, sublime, incompris. – Un critique connu a fait au peintre un grand éloge d'avoir placé Commode, c'est-à-dire l'avenir, dans la lumière; les stoïciens, c'est-à-dire le passé, dans l'ombre; – que d'esprit! Excepté deux figures dans la demi-teinte, tous les personnages ont leur portion de lumière. Cela nous rappelle l'admiration d'un littérateur républicain qui félicitait sincèrement le grand Rubens d'avoir, dans un de ses tableaux officiels de la galerie Médicis, débraillé l'une des bottes et le bas de Henri IV, trait de satire indépendante, coup de griffe libéral contre la débauche royale. Rubens sans-culotte! ô critique! ô critiques!...

Nous sommes ici en plein Delacroix, c'est-à-dire que nous avons devant les yeux l'un des spécimens les plus complets de ce que peut le génie dans la peinture.

Cette couleur est d'une science incomparable, il n'y a pas une seule faute, – et, néanmoins, ce ne sont que tours de force – tours de force invisibles à l'œil inattentif, car l'harmonie est sourde et profonde; la couleur, loin de perdre son originalité cruelle dans cette science nouvelle et plus complète, est toujours sanguinaire et terrible. – Cette pondération du vert et du rouge plaît à notre âme. M. Delacroix a même introduit dans ce tableau, à ce que nous croyons du moins, quelques tons dont il n'avait pas encore l'usage habituel. – Ils se font bien valoir les uns les autres. – Le fond est aussi sérieux qu'il le fallait pour un pareil sujet.

Enfin, disons-le, car personne ne le dit, ce tableau est parfaitement bien dessiné, parfaitement bien modelé. – Le public se fait-il bien une idée de la difficulté qu'il y a à modeler avec de la couleur? La difficulté est double, – modeler avec un seul ton, c'est modeler avec une estompe, la difficulté est simple; – modeler avec de la couleur, c'est dans un travail subit, spontané, compliqué, trouver d'abord la logique des ombres et de la lumière, ensuite la justesse et l'harmonie du ton; autrement dit, c'est, si l'ombre est verte et une lumière rouge, trouver du premier coup une harmonie de vert et de rouge, l'un obscur, l'autre lumineux, qui rendent l'effet d'un objet monochrome et *tournant*.

Ce tableau est parfaitement bien dessiné. Faut-il, à propos de cet énorme paradoxe, de ce blasphème impudent, répéter, réexpliquer ce que M. Gautier s'est donné la peine d'expliquer dans un de ses feuilletons de l'année dernière, à propos de M. Couture[2] – car M. Th. Gautier, quand les œuvres vont bien à son tempérament et à son éducation littéraires, commente bien ce qu'il sent juste – à savoir qu'il y a deux genres de dessins, le dessin des coloristes et le dessin des dessinateurs? Les procédés sont inverses; mais on peut bien dessiner avec une couleur effrénée, comme on peut trouver des masses de couleur harmonieuses, tout en restant dessinateur exclusif.

Donc, quand nous disons que ce tableau est bien dessiné, nous ne voulons pas faire entendre qu'il est dessiné comme un Raphaël; nous voulons dire qu'il est dessiné d'une manière impromptue et spirituelle; que ce genre de dessin, qui a quelque analogie avec celui de tous les grands coloristes, de Rubens par exemple, rend bien, rend parfaitement le mouvement, la physionomie, le caractère insaisissable et tremblant de la nature, que le dessin de Raphaël ne rend jamais. – Nous ne connaissons, à Paris, que deux hommes qui dessinent aussi bien que M. Delacroix, l'un d'une manière analogue, l'autre dans une méthode contraire. – L'un est M. Daumier, le caricaturiste; l'autre, M. Ingres, le grand peintre, l'adorateur rusé de Raphaël. – Voilà certes qui doit

stupéfier les amis et les ennemis, les séides et les antagonistes; mais avec une attention lente et studieuse, chacun verra que ces trois *dessins* différents ont ceci de commun, qu'ils rendent parfaitement et complètement le côté de la nature qu'ils veulent rendre, et qu'ils disent juste ce qu'ils veulent dire. – Daumier dessine peut-être mieux que Delacroix, si l'on veut préférer les qualités saines, bien portantes, aux facultés étranges et étonnantes d'un grand génie malade de génie; M. Ingres, si amoureux du détail, dessine peut-être mieux que tous les deux, si l'on préfère les finesses laborieuses à l'harmonie de l'ensemble, et le caractère du morceau au caractère de la composition, mais ....
....
....
....
....
....
aimons-les tous les trois.

3° UNE SIBYLLE QUI MONTRE LE RAMEAU D'OR

C'est encore d'une belle et originale couleur. – La tête rappelle un peu l'indécision charmante des dessins sur Hamlet. – Comme modelé et comme pâte, c'est incomparable; l'épaule nue vaut un Corrège.

4° LE SULTAN DU MAROC ENTOURÉ DE SA GARDE ET DE SES OFFICIERS

Voilà le tableau dont nous voulions parler tout à l'heure quand nous affirmions que M. Delacroix avait progressé dans la science de l'harmonie. – En effet, déploya-t-on jamais en aucun temps une plus grande coquetterie musicale? Véronèse fut-il jamais plus féerique? Fit-on jamais chanter sur une toile de plus capricieuses mélodies? un plus prodigieux accord de tons nouveaux, inconnus, délicats, charmants? Nous en appelons à la bonne foi de quiconque connaît son vieux Louvre; – qu'on cite un tableau de grand coloriste, où la couleur ait autant d'esprit que dans celui de M. Delacroix. – Nous savons que nous serons compris d'un petit nombre, mais cela nous suffit. – Ce tableau est si harmonieux, malgré la splendeur des tons, qu'il en est gris – gris comme la nature – gris comme l'atmosphère de l'été, quand le soleil étend comme un crépuscule de poussière tremblante sur chaque objet. – Aussi ne l'aperçoit-on pas du premier coup; – ses voisins l'assomment. – La composition est excellente; – elle a quelque chose d'inattendu parce qu'elle est vraie et naturelle ....
....
....
....
....

P.S. On dit qu'il y a des éloges qui compromettent, et que mieux vaut un sage ennemi..., etc. Nous ne croyons pas, nous, qu'on puisse compromettre le génie en l'expliquant.

Peintures murales d'Eugène Delacroix à Saint-Sulpice[3]

Le sujet de la peinture qui couvre la face gauche de la chapelle décorée par M. Delacroix est contenu dans ces versets de la Genèse :

« Après avoir fait passer tout ce qui était à lui,

« Il demeura seul en ce lieu-là. Et il parut en même temps un homme qui lutta contre lui jusqu'au matin.

« Cet homme, voyant qu'il ne pouvait le surmonter, lui toucha le nerf de la cuisse, qui se sécha aussitôt;

« Et il lui dit : Laissez-moi aller; car l'aurore commence déjà à paraître. Jacob lui répondit : Je ne vous laisserai point aller que vous ne m'ayez béni.

« Cet homme lui demanda : Comment vous appelez-vous ? Il lui répondit : Je m'appelle Jacob.

« Et le même ajouta : On ne vous nommera plus à l'avenir Jacob, mais Israël : car, si vous avez été fort contre Dieu, combien le serez-vous davantage contre les hommes ?

« Jacob lui fit ensuite cette demande : Dites-moi, je vous prie, comment vous vous appelez ? Il lui répondit : Pourquoi me demandez-vous mon nom ? Et il le bénit en ce même lieu.

« Jacob donna le nom de Phanuel à ce lieu-là en disant : J'ai vu Dieu face à face et mon âme a été sauvée.

« Aussitôt qu'il eut passé ce lieu qu'il venait de nommer Phanuel, il vit le soleil qui se levait; mais il se trouva boiteux d'une jambe.

« C'est pour cette raison que, jusqu'aujourd'hui, les enfants d'Israël ne mangent point du nerf des bêtes, se souvenant de celui qui fut touché en la cuisse de Jacob, et qui demeura sans mouvement. »

De cette bizarre légende, que beaucoup de gens interprètent allégoriquement, et que ceux de la Kabbale et de la nouvelle Jérusalem traduisent sans doute dans des sens différents, Delacroix, s'attachant au sens matériel, comme il devait faire, a tiré tout le parti qu'un peintre de son tempérament en pouvait tirer. La scène est au gué de Jacob; les lueurs riantes et dorées du matin traversent la plus riche et la plus robuste végétation qui se puisse imaginer, une végétation qu'on pourrait appeler patriarcale. A gauche, un ruisseau limpide s'échappe en cascades; à droite, dans le fond, s'éloignent les derniers rangs de la caravane qui conduit vers Ésaü les riches présents de Jacob : « deux cents chèvres, vingt boucs, deux cents brebis et vingt béliers, trente femelles de chameaux avec leurs petits, quarante vaches, vingt taureaux, vingt ânesses et vingt ânons. » Au premier plan, gisent, sur le terrain, les vêtements et les armes dont Jacob s'est débarrassé pour lutter corps à corps avec l'*homme* mystérieux envoyé par le Seigneur. L'homme naturel et l'homme surnaturel luttent chacun selon sa nature, Jacob incliné en avant comme un bélier et bandant toute sa musculature, l'ange se prêtant complaisamment au combat, calme, doux, comme un être qui peut vaincre sans effort des muscles et ne permettant pas à la colère d'altérer la forme divine de ses membres.

Le plafond est occupé par une peinture de forme circulaire représentant Lucifer terrassé sous les pieds de l'archange Michel. C'est là un de ces sujets légendaires qu'on trouve répercutés dans plusieurs religions et qui occupent une place même dans la mémoire des enfants, bien qu'il soit difficile d'en suivre les traces positives dans les saintes Écritures. Je ne me souviens, pour le présent, que d'un verset d'Isaïe, qui toutefois n'attribue pas clairement au nom de *Lucifer* le sens légendaire; d'un verset de saint Jude, où il est simplement question d'une contestation que l'archange Michel eut avec le Diable touchant le corps de Moïse, et enfin de l'unique et célèbre verset 7 du chapitre XII de l'Apocalypse. Quoi qu'il en soit, la légende est indestructiblement établie; elle a fourni à Milton l'une de ses plus épiques descriptions; elle s'étale dans tous les musées, célébrée par les plus illustres pinceaux. Ici, elle se présente avec une magnificence des plus dramatiques; mais la lumière frisante, dégorgée par la fenêtre qui occupe la partie haute du mur extérieur, impose au spectateur un effort pénible pour en jouir convenablement.

Le mur de droite présente la célèbre histoire d'Héliodore chassé du Temple par les Anges, alors qu'il vient pour forcer la trésorerie. Tout le peuple était en prières; les femmes se lamentaient; chacun croyait que tout était perdu et que le trésor sacré allait être violé par le ministre de Séleucus.

« L'esprit de Dieu tout-puissant se fit voir alors par des marques bien sensibles, en sorte que tous ceux qui avaient osé obéir à Héliodore, étant renversés par une vertu divine, furent tout d'un coup frappés d'une frayeur qui les mit tout hors d'eux-mêmes.

« Car ils virent paraître un cheval, sur lequel était monté un homme terrible, habillé magnifiquement, et qui, fondant avec impétuosité sur Héliodore, le frappa en lui donnant plusieurs coups de pied de devant; et celui qui était monté dessus semblait avoir des armes d'or.

« Deux autres jeunes hommes parurent en même temps, pleins de force et de beauté, brillants de gloire et richement vêtus, qui, se tenant aux deux côtés d'Héliodore, le fouettaient chacun de son côté et le frappaient sans relâche. »

Dans un temple magnifique, d'architecture polychrome, sur les premières marches de l'escalier conduisant à la trésorerie, Héliodore est renversé sous un cheval qui le maintient de son sabot divin pour le livrer plus commodément aux verges des deux Anges; ceux-ci le fouettent avec vigueur, mais aussi avec l'opiniâtre tranquillité qui convient à des êtres investis d'une puissance céleste. Le cavalier, qui est vraiment d'une beauté angélique, garde dans son attitude toute la solennité et tout le calme des Cieux. Du haut de la rampe, à un étage supérieur, plusieurs personnages contemplent avec horreur et ravissement le travail des divins bourreaux[4] ....

....

Exposition de Sardanapale [5]

Le temps n'est pas éloigné où on déclarait impossibles les expositions permanentes de peinture. M. Martinet a démontré que cet impossible était chose facile. Tous les jours, l'exposition du boulevard des Italiens reçoit des visiteurs, artistes, littérateurs, gens du monde, dont le nombre va s'accroissant. Il est maintenant permis de prédire à cet établissement une sérieuse prospérité. Mais une des conditions indispensables de cette faveur publique était évidemment un choix très-sévère des objets à exposer. Cette condition a été accomplie rigoureusement, et c'est à cette rigueur que le public doit le plaisir de promener ses yeux sur une série d'œuvres dont pas une seule, à quelque école qu'elle appartienne, ne peut être classée dans l'ordre du mauvais ou même du médiocre. Le comité qui préside au choix des tableaux a prouvé qu'on pouvait aimer tous les genres et ne prendre de chacun que la meilleure part; unir l'impartialité la plus large à la sévérité la plus minutieuse. Bonne leçon pour les jurys de nos grandes expositions qui ont toujours trouvé le moyen d'être à la fois scandaleusement indulgents et inutilement injustes.

Un excellent petit journal est annexé à l'Exposition, qui rend compte du mouvement régulier des tableaux entrants et sortants, comme ces feuilles maritimes qui instruisent les intéressés de tout le mouvement quotidien d'un port de mer.

Dans cette gazette, où quelquefois des articles traitant de matières générales se rencontrent à côté des articles de circonstances, nous avons remarqué de curieuses pages signées de M. Saint-François, qui est aussi l'auteur de quelques dessins saisissants au crayon noir. M. Saint-François a un style embrouillé et compliqué comme celui d'un homme qui change son outil habituel contre un qui lui est moins familier; mais il a des idées, de vraies idées. Chose rare chez un artiste, il sait penser.

M. Legros[6], toujours épris des voluptés âpres de la religion, a fourni deux magnifiques tableaux, l'un, qu'on a pu admirer à l'Exposition dernière, aux Champs-Élysées (les femmes agenouillées devant une croix dans un paysage concentré et lumineux); l'autre, une production plus récente, représentant des moines d'âges différents, prosternés devant un livre saint dont ils s'appliquent humblement à interpréter certains passages. Ces deux tableaux, dont le dernier fait penser aux plus solides compositions espagnoles, sont tout voisins d'une célèbre toile de Delacroix, et cependant, là-même, dans ce lieu dangereux, ils vivent de leur vie propre. C'est tout dire.

Nous avons également observé une *Inondation*, de M. Eugène Lavieille[7], qui témoigne, chez cet artiste, d'un progrès assidu, même après ses excellents paysages d'hiver. M. Lavieille a accompli une tâche fort difficile et qui effrayerait même un poëte; il a su exprimer le charme infini, inconscient, et l'immortelle gaîté de la nature dans ses jeux les plus horribles. Sous ce ciel plombé et gonflé d'eau comme un ventre de noyé, une lumière bizarre se joue avec délices, et les maisons, les fermes, les villas, enfoncées dans le lac jusqu'à moitié, ont l'air de se regarder complaisamment dans le miroir immobile qui les environne.

Mais la grande fête dont il faut, après M. Delacroix toutefois, remercier M. Martinet, c'est le *Sardanapale*. Bien des fois, mes rêves se sont remplis des formes magnifiques qui s'agitent dans ce vaste tableau, merveilleux lui-même comme un rêve. Le *Sardanapale* revu, c'est la jeunesse retrouvée. A quelle distance en arrière nous rejette la contemplation de cette toile! Époque merveilleuse où régnaient en commun des artistes tels que Devéria[8], Gros, Delacroix, Boulanger[9], Bonington, etc., la grande école romantique, le beau, le joli, le charmant, le sublime!

Une figure peinte donna-t-elle jamais une idée plus vaste du despote asiatique que ce Sardanapale à la barbe noire et tressée, qui meurt sur son bûcher, drapé dans ses mousselines, avec une attitude de femme ? Et tout ce harem de beautés si éclatantes, qui pourrait le peindre aujourd'hui avec ce feu, avec cette fraîcheur, avec cet enthousiasme poétique ? Et tout ce luxe *sardanapalesque* qui scintille dans l'ameublement, dans le vêtement, dans les harnais, dans la vaisselle et la bijouterie, qui ? qui ?

Sur Le Tasse en prison
d'Eugène Delacroix[10]

Le poëte au cachot, débraillé, maladif,
Roulant un manuscrit sous son pied convulsif,
Mesure d'un regard que la terreur enflamme
L'escalier de vertige où s'abîme son âme.

Les rires enivrants dont s'emplit la prison
Vers l'étrange et l'absurde invitent sa raison;
Le Doute l'environne, et la Peur ridicule,
Hideuse et multiforme, autour de lui circule.

Ce génie enfermé dans un taudis malsain,
Ces grimaces, ces cris, ces spectres dont l'essaim
Tourbillonne, ameuté derrière son oreille,

Ce rêveur que l'horreur de son logis réveille,
Voilà bien ton emblème, Ame aux songes obscurs,
Que le Réel étouffe entre ses quatre murs!

Notes

Les phares

Page 48

[1] Pierre Puget (1620-1694), sculpteur baroque, influencé par Michel-Ange et Le Bernin. Il participa à la décoration du Palais Pitti à Florence. Il fut peintre aussi; ses principales œuvres sont d'inspiration religieuse.

Extrait du Salon de 1859

Page 50.

[1] Les passages sur Delacroix dans le *Salon de 1859* étant presque intégralement repris — avec quelques variantes — dans son texte majeur intitulé *L'œuvre et la vie d'Eugène Delacroix* (voir p. 143), nous avons choisi de n'en reproduire ici qu'un court extrait (fin du chapi-

tre V, intitulé *Religion, Histoire, Fantaisie*) qui témoigne à lui seul de toute l'admiration que Baudelaire éprouve à l'égard du peintre. Cet émouvant cri du cœur de Baudelaire nous a semblé pouvoir être pris isolément et en dehors de tout ordre chronologique, comme ouverture aux textes suivants.

L'ensemble du texte sur le *Salon de 1859* parut, en quatre fois, dans la *Revue française*, en juin et juillet de cette même année. L'ouverture de l'exposition avait eu lieu le 15 avril, au Palais des Champs-Elysées.

Lettre de Delacroix à Baudelaire

Page 51

[1] Le salon de 1859 était le dernier auquel Delacroix allait exposer. Il y avait envoyé *La montée au Calvaire, Le Christ descendu au tombeau, Saint Sébastien, Ovide en exil chez les Scythes, Herminie et les bergers, Rébecca enlevée par le templier*, son dernier *Hamlet* et *Les bords du fleuve Sebu*. Dès qu'il eut pris connaissance de l'article de Baudelaire, Delacroix lui manifesta sa plus vive reconnaissance par la lettre que nous reproduisons ici.

Salon de 1846

Page 55

[1] Le salon de 1846 s'ouvre au Louvre le 10 mars. Le texte de Baudelaire fut publié en mai, chez Michel-Lévy. C'est ici que la pensée esthétique de Baudelaire trouve véritablement sa voie.

De ce texte, nous reprenons les quatre premiers chapitres; l'exorde *Aux Bourgeois* et les autres chapitres n'ayant plus de rapport immédiat avec Delacroix.

Page 57

[2] Paul Gavarni (1804-1866) : dessinateur, aquarelliste

et lithographe. Ses nombreuses gravures furent publiées dans les journaux satiriques de l'époque, tels que *La Caricature* ou *Le Charivari*.

Page 60

[3] Dans l'*Histoire de la Peinture en Italie*.

Page 70

[4] De nationalité américaine, George Catlin (1796-1872) abandonna son métier d'avocat pour partir, comme explorateur, à la découverte des tribus indiennes. Il s'établit à Paris en 1846 et démontre, à travers ses portraits d'Indiens, un grand talent de dessinateur et de coloriste. Il fut immédiatement remarqué et apprécié par Baudelaire (voir, à ce propos, le chapitre VI du même *Salon*, sur les coloristes, non repris dans ce volume).

Ses portraits ont en outre l'intérêt d'être de véritables documents anthropologiques.

Page 73

[5] Vers 1820, quand il a une vingtaine d'années, Delacroix écrit ceci : « Si l'on entend par mon romantisme la libre manifestation de mes impressions personnelles, mon éloignement pour les types calqués dans les écoles et ma répugnance pour les recettes académiques, je dois avouer que... je suis romantique. »

A partir de 1847, son *Journal* témoigne d'un dénigrement du romantisme; dès lors, et jusqu'à la fin de sa vie, il se qualifie ouvertement de « pur classique ».

Page 75

[6] Louis Adolphe Thiers (1797-1877), homme politique, historien et journaliste. Il collabore au journal *Le Constitutionnel*. Ayant fait une commande à Delacroix en 1833, il influença fortement la carrière et le renom de celui-ci.

La ligne pointillée marque une coupure délibérée de Baudelaire dans l'article de Thiers : ce dernier mêlait au nom de Delacroix ceux de Dubufe, Drolling et Cogniet. L'animosité de Baudelaire à l'égard de ces trois peintres a fait qu'il ne put supporter de les placer en la glorieuse compagnie de Delacroix.

En fin de citation, la signature incomplète de Thiers est bien celle de l'original.

Page 76

[7] Dessinateur de style néo-classique, Pierre Guérin (1774-1833) fut l'élève de David, puis le maître de Delacroix et de Géricault. Delacroix a 17 ans quand il entre dans son atelier (en 1815).

[8] François Gérard (1770-1837), peintre français inspiré par l'Antiquité et l'histoire napoléonienne.

Page 88

[9] Il s'agit d'une réalisation de Paul Delaroche. On lira plus loin l'opinion de Delacroix sur ce peintre (p. 186). Voir également la note 5, page 228.

Page 92

[10] Richard P. Bonington (1802-1828), peintre aquarelliste anglais établi en France. Il entre dans l'atelier de Gros en 1818. Sa rencontre avec Delacroix fut décisive : ils voyagent en Angleterre et découvrent ensemble l'œuvre de Turner. Malgré sa mort précoce, il laisse derrière lui un ensemble remarquable de paysages à l'aquarelle qui influenceront Corot et les Impressionnistes.

Page 96

[11] Frédérick Lemaître (1800-1876), acteur romantique de l'époque. W. Ch. Macready (1793-1873), tragédien anglais jouant à Paris.

Page 97

[1] L'Exposition Universelle s'était ouverte le 15 mai au Nouveau Palais des Beaux-Arts (avenue Montaigne). Une salle entière y était réservée à Delacroix, une autre à Ingres. Ce double triomphe fut l'occasion pour Baudelaire de confronter les deux artistes. Bien évidemment, il ne manqua pas de manifester ici son admiration la plus vive pour Delacroix; celui-ci en fut profondément touché et le remercia en ces termes :

Champrosay, par Draveil (Seine et Oise)

Ce 10 juin 1855

Cher Monsieur, je n'ai reçu qu'ici votre article par dessus les toits. Vous êtes trop bon de me dire que vous le trouvez encore trop modeste : je suis heureux de voir quelle a été votre impression sur mon exposition. Je vous avouerai que je n'en suis pas mécontent; et quelque chose de moi-même m'a gagné plus qu'à l'ordinaire en voyant la réunion de mes tableaux : puisse le bon public avoir des yeux, mais surtout les vôtres, car ils jugent encore plus favorablement, j'en suis sûr, que je ne fais...

La première et la troisième partie de cet essai parurent en mai et juin dans *Le Pays*.

La deuxième partie, sur Ingres, jugée presque inconvenante à l'époque, ne parut que deux mois plus tard, dans *Le Portefeuille*, avec bon nombre d'amputations.

Ce n'est que 13 ans plus tard, en 1868, que cette étude fut recueillie intégralement dans les *Curiosités esthétiques* — avec, hélas, quelques retouches des éditeurs. Exceptionnellement, nous reprenons ici la version de l'édition posthume qui, des deux, reste la plus conforme au texte baudelairien.

Page 100

[2] Johann J. Winckelmann (1717-1768), historien de

l'art et archéologue allemand. Enthousiasmé par l'Antiquité, il prône, contre le style rococo, le retour à la simplicité de l'art grec. Dans son *Histoire de l'Art de l'Antiquité* (1764), il fonde les premières bases d'une théorie esthétique centrée sur la beauté idéale.

Page 109

[3] Luca Signorelli (± 1450-1523), peintre italien à la fois réaliste et symboliste. Il participe à la décoration de la Chapelle Sixtine. L'importance qu'il accorde au corps humain annonce déjà Michel-Ange.

Quelques lignes plus loin : Pietro Vannucci Perugino, dit le Pérugin (± 1445-1523) fut l'élève de Piero della Francesca, puis le maître de Raphaël. Il occupe donc une place importante dans la formation du mouvement classique.

Page 111

[4] George Crabbe (1754-1832), poète anglais, de tempérament sombre et austère, fort apprécié par Byron.

[5] Charles Robert Maturin (1782-1824), romancier, dramaturge et conteur fantastique irlandais, admiré par Walter Scott et Byron. Son œuvre majeure, *Melmoth ou l'Homme errant* (1820) sera évoquée à plusieurs reprises par Baudelaire, et surtout dans son texte sur Wagner.

[6] William Godwin (1756-1836), romancier anglais intéressé par les questions sociales. Il a écrit, en 1793, un *Essai sur la justice politique et son influence sur la moralité et le bonheur.*

Page 113

[7] Guérin : voir plus haut, la note 7, page 222.

Louis Girodet (1767-1824), élève de David, de tradition néo-classique. Malgré une production peu abondante, il connaît un succès rapide. Pour plaire à Bonaparte, il se transforme en peintre épique. Certains voient en lui un des précurseurs du Romantisme.

[8] Antoine Gros (1771-1835) fut élève de David et sera le portraitiste officiel de Napoléon.

Page 119

[9] Johann K. Lavater (1741-1801), poète, théologien et philosophe allemand. Le premier, il se lance dans la physiognomonie, l'art d'étudier le caractère selon les traits du visage.

Page 121

[10] Les Carrache, famille de peintres et de graveurs italiens, de l'école de Bologne. Leur œuvre (et particulièrement celle d'Annibal Carrache (1560-1609), le plus connu des trois cousins) s'épanouit dans l'art du paysage et de l'allégorie mythologique. Ils influenceront le mouvement baroque et toute la peinture européenne du XVIIe siècle.

Page 123

[11] Etienne Jean Delécluze (1781-1863), ami de Stendhal, peintre et critique d'art du *Journal des Débats*. A propos du *Dante et Virgile* de Delacroix, il avait écrit : « Ce tableau n'en est pas un; c'est, comme on le dit en style d'atelier, une vraie *tartouillade*. »

Page 126

[12] Théophile Gautier, *Compensation*, extrait de la *Comédie de la Mort*. (A la fin du cinquième tercet, Gautier avait écrit « destins » et non « dessins ».)

Page 128

[13] Alphonse Karr (1808-1890), journaliste et écrivain, directeur du *Figaro* en 1839. Il fonde une revue satirique, *Les Guêpes*, qui s'attaque à la vie politique et artistique de l'époque.

Page 129

[14] Théophile Gautier, *Terza Rima, La Comédie de la Mort.*

[15] Philibert Rouvière, acteur à qui Baudelaire consacre une longue notice en 1855, dans l'un de ses écrits sur le théâtre : *Le Comédien Rouvière.* Il le décrit jouant Hamlet « furibond, nerveux et pétulant ».

Quant au *Hamlet* de Delacroix, ce n'est pas étonnant qu'il ait l'air « délicat » et féminin : c'est Pauline Villot, tendrement aimée par Delacroix, qui a posé pour ce tableau. (Voir p. 230, la note 21.)

Page 133

[16] C'est Baudelaire lui-même.

Le passage allant de « Un poëte » jusqu'à « sa couleur » a été ajouté par Baudelaire après 1855, et publié pour la première fois en 1868. La strophe extraite des *Phares* et le commentaire qu'il en fait sont une belle illustration des fameuses « correspondances ».

Page 135

[17] Baudelaire devait très bien savoir d'où provenait cette idée de Poe, puisqu'il travaillait alors à la publication des *Histoires extraordinaires.* La citation exacte, extraite des *Souvenirs de M. Aguste Bedloe* est : « Cependant, l'opium avait produit son effet accoutumé, — qui est de revêtir tout le monde extérieur d'une intensité d'intérêt ».

EUGÈNE DELACROIX, SON ŒUVRE, SES IDÉES, SES MŒURS

Page 137

[1] Delacroix fut le sujet d'une des conférences que Baudelaire fit à Bruxelles, sans grand succès à vrai dire. Il y venait lire des textes déjà publiés. Le 2 mai 1864, il vint exposer des extraits de son texte majeur, *L'Œuvre et*

la vie d'Eugène Delacroix (voir p. 143), et débuta sa lecture par le préambule que voici, tout empreint encore de l'émotion et de la douleur que lui causa la mort de Delacroix, le 13 août 1863.

Page 141

[2] Alfred Stevens (1823-1906), peintre belge, établi à Paris, ami de Baudelaire et de Manet. Il a réalisé quelques marines, d'élégants portraits et des scènes de genre de facture à la fois réaliste et brillante.

L'Œuvre et la vie d'Eugène Delacroix

Page 143

[1] Adressé à M. A. Guéroult, cet essai écrit juste après la mort de Delacroix, parut dans l'*Opinion nationale* le 2 septembre (pour les trois premiers chapitres), le 14 novembre (pour les chapitres IV et V) et le 22 novembre 1863 (pour les trois derniers chapitres). Alors que ce texte forme un tout bien structuré, il faut attendre près de trois mois pour le voir paraître dans sa totalité. Ce long laps de temps prouve le peu d'empressement et le manque d'intérêt prêtés au public par la direction du quotidien. Baudelaire devait donc se faire des illusions quand, le 25 novembre 1863, il écrivait à sa mère : « Le Delacroix a soulevé beaucoup de colères et d'approbations. »

La version que nous reprenons est celle de l'*Opinion nationale*, donc de la première édition, sans les corrections posthumes. Plusieurs passages ont été repris par Baudelaire de son *Salon de 1859* et de son article sur les *Peintures murales*.

Page 145

[2] Ni la date ni la période exacte de la première rencontre de Baudelaire et Delacroix n'ont pu être précisées.

Page 146

[3] Théophile Silvestre, ami de Baudelaire et critique d'art à qui Delacroix confie la publication de ses articles.

Page 155

[4] A partir d'ici, et jusque «dans son esprit » (p. 162), le texte est repris, avec de légères variantes, du *Salon de 1859.*

Page 158

[5] Paul Delaroche (1797-1856), gendre d'Horace Vernet et élève de Gros. Conseillé par Géricault, il se lance dans la peinture d'histoire et ne connaît qu'un succès minime. Il sera toujours considéré comme un pâle imitateur de Delacroix.

[6] Horace Vernet (1789-1863), petit-fils de Joseph Vernet, considéré par Baudelaire comme « l'antithèse de l'artiste ». Versé principalement dans des scènes de bataille aux dimensions gigantesques, il emprunte des procédés à Delacroix et fait preuve d'un romantisme superficiel. Intéressé par l'histoire napoléonienne, il deviendra le peintre officiel du Second Empire.

Page 162

[7] Ces deux tableaux sont commentés par Baudelaire dans son texte sur les *Peintures murales* (voir p. 205).

[8] A partir d'ici, et jusque « inutiles vérités » (p. 166), le texte est repris des *Peintures murales*, dont il formait la conclusion.

Page 167

[9] Pierre Paul Prud'hon (1758-1823), peintre et illustrateur français, rendu célèbre par ses toiles allégoriques. Il est reconnu également pour son utilisation talentueuse de la couleur et de la lumière. Ses dessins témoignent d'une sensibilité originale et fine. Il sera loué par Baudelaire comme « le frère en romantisme d'André Chénier » et comme celui « qui osait rêver la couleur ».

[10] Nicolas Charlet (1792-1845), peintre d'histoire, dessinateur et lithographe. Elève de Gros, il connaît un succès populaire grâce au culte qu'il voue à Bonaparte.

Page 168

[11] Baudelaire lui-même?

Page 169

[12] Emerson (1803-1882), poète, essayiste et philosophe américain, fort apprécié de Baudelaire. Mettant en valeur la puissance de l'individu et la dignité de l'homme, il est considéré comme le fondateur du Romantisme américain. Dans son ouvrage *The Conduct of Life*, (1860), il suggère le poids de la dure réalité et sa séparation d'avec l'idée.

Page 173

[13] Victor Jacquemont (1801-1832), ami de Stendhal et de Mérimée, naturaliste, voyage beaucoup en Inde.

Page 175

[14] Guiseppe Ferrari (1811-1876), philosophe italien établi en France. Il inspire un grand intérêt à Baudelaire quand il publie, en 1860, son *Histoire de la raison d'Etat*, en raison de son style désinvolte et fataliste. Dans un article projeté sur *Le Dandysme dans les lettres*, Baudelaire a voulu le placer aux côtés de Chateaubriand, de Maistre et Barbey d'Aurevilly.

Page 178

[15] Au début de sa carrière, Delacroix a fait quelques caricatures dans des périodiques libéraux de la Restauration.

Page 179

[16] « Je hais la foule ignorante » et, plus loin, « et je l'écarte » Horace, *Odes* III, I, 1.

[17] Emerson, dans *The Conduct of Life*, œuvre que Baudelaire a beaucoup aimée.

Page 182

[18] Allusion probable au livre XII des *Confessions*, que Baudelaire interprète dans son sens à lui. Rousseau écrit ceci :

« Après le déjeuner, je me hâtais d'écrire en rechignant quelques malheureuses lettres, aspirant avec ardeur à l'heureux moment de n'en plus écrire du tout. Je tracassais quelques instants autour de mes livres et papiers, pour les déballer et arranger plutôt que pour les lire; et cet arrangement qui devenait pour moi l'œuvre de Pénélope me donnait le plaisir de muser quelques moments, après quoi je m'en ennuyais et le quittais pour passer les trois ou quatre heures qui me restaient de la matinée à l'étude de la botanique (...) »

[19] Allusion à l'ouvrage d'Emerson (voir note 12, p. 229.)

[20] Machiavel lui-même raconte qu'il composa *Le Prince* pendant ses soirées, après avoir passé de longues heures en compagnie de paysans.

Balzac, dans les *Illusions perdues,* évoque Machiavel écrivant son œuvre « après avoir été confondu parmi les ouvriers pendant la journée ».

Page 183

[21] François Villot est l'un des rares amis de Delacroix, qu'il cite souvent dans son *Journal*. Peintre médiocre, devenu Directeur des Peintures au Louvre, il fut le mari de Pauline Villot, que Delacroix a tendrement aimée et qu'il a choisie comme modèle pour son *Hamlet* (voir note 15, p. 226.)

Page 185

[22] Alexandre G. Decamps (1803-1860) fut élève de David. Fort touché par l'Orient, il voyage en Grèce et en

Turquie. Paysagiste et peintre d'histoire, il fut apprécié par Baudelaire et par Delacroix.

Page 186

[23] Ernest Meissonier (1815-1891), peintre aquafortiste qui débute en 1836. Ses tableaux historiques glorifiant les guerres napoléoniennes lui accordent un succès moyen à partir de 1850. Mais, déjà en 1845, Baudelaire avait pressenti ses faiblesses.

[24] Dans un article datant de 1837, Gautier avait dit de la même œuvre de Delaroche : « Cette toile semble peinte avec de l'encre, de la teinte neutre et du cirage. »

Page 187

[25] Paul Chenavard (1807-1895), fréquente l'atelier d'Ingres, puis étudie chez Delacroix. Dans son *Salon de 1859*, Baudelaire le trouve « aimable comme les livres, et gracieux jusque dans ses lourdeurs ». Lors de la Révolution de 1848, on lui confie la décoration du Panthéon. Ce projet n'ayant jamais vu le jour (à cause du Coup d'Etat de 1851), Chenavard abandonne la peinture pour voyager en Italie.

Page 188

[26] Le passage de Michel Ange évoqué par Baudelaire est celui-ci : « ...et l'art triomphe de la nature même. Je le sais, moi pour qui la sculpture ne cesse d'être une amie fidèle, tandis que le temps, chaque jour, trompe mes espérances. » (Second quatrain du *Sonnet XII*).

[27] « J'ai toujours été étonné qu'on laissât les femmes entrer dans les églises. Quelle conversation peuvent-elles tenir avec Dieu? » (*Mon cœur mis à nu*, XXVII, 48).

Page 193

[28] Baudelaire cite Stendhal de mémoire. Dans *De l'Amour* (fragment 61), celui-ci écrit :

« Gœthe, ou tout autre homme de génie allemand, estime l'argent ce qu'il vaut. Il ne faut penser qu'à sa fortune tant qu'on n'a pas six mille francs de rente, et puis n'y plus penser. Le sot, de son côté, ne comprend pas l'avantage qu'il y a à sentir et penser comme Gœthe : toute sa vie il ne sent que par l'argent et ne pense qu'à l'argent. C'est par le mécanisme de ce double vote que dans le monde les prosaïques semblent l'emporter sur les cœurs nobles. »

Tableaux

Salon de 1845

Page 197

[1] Ce premier essai de critique d'art de Baudelaire est aussi le premier écrit qu'il ait publié sous son nom. Il est surtout la première expression de l'admiration portée à Delacroix.

Le Salon s'était ouvert au Louvre le 15 mars 1845; le texte de Baudelaire paraît en mai de la même année. Il semble que Baudelaire ait d'abord voulu détruire cet essai; par la suite, son intention fut de le remanier, ce qu'il n'a jamais fait.

Nous conservons le texte de l'édition originale, les modifications qui y ont été apportées ultérieurement étant dues, non à Baudelaire lui-même, mais à ses éditeurs.

Nous n'en reproduisons ici que la partie sur Delacroix.

Page 201

[2] Thomas Couture (1815-1879), peintre d'histoire, professeur de Manet, après avoir été élève de Gros et de Delaroche. Ses portraits lui valent une certaine renommée, mais il fut rapidement oublié à cause d'une étroitesse d'esprit qui le limite à un style purement académique.

Page 205

[3] En 1847, on projeta de confier à Delacroix la décoration d'une chapelle de l'église Saint-Sulpice. Ce projet ne fut arrêté qu'en 1849. Delacroix, ayant pris d'autres engagements entre-temps, n'acheva cette décoration qu'en 1861. A l'inauguration, le 31 juillet, Baudelaire devait être présent. Son article parut dans la *Revue fantaisiste*, le 15 septembre.

Delacroix, dans une lettre de remerciements à Baudelaire, parle de cette peinture comme d'« un tableau qui ne démontre rien et qui ne donne que du plaisir ».

L'ensemble de cette réalisation peut être considérée comme le testament spirituel de Delacroix.

Page 209

[4] Le texte se poursuivait par le passage repris par Baudelaire dans *L'Œuvre et la vie d'E. Delacroix* (de : « Jamais, même dans la *Clémence de Trajan...* » jusqu'à : « ces inutiles vérités » - voir pp. 162 à 166). Nous n'avons pas jugé utile de reproduire une seconde fois ce même texte, à quelques pages d'intervalle.

EXPOSITION DE SARDANAPALE

Page 210

[5] Article paru dans la *Revue anecdotique* du 1er janvier 1862, sans titre ni signature. D'autres éditions intitulent aussi ce texte : *Exposition Martinet.* M. Louis Martinet était propriétaire d'une galerie de peinture (au Boulevard des Italiens), où était exposé à ce moment-là le *Sardanapale* de Delacroix, qui est l'unique raison d'être de ce texte — d'où notre préférence pour ce titre-ci.

Ce tableau, déjà présenté en 1827-1828, avait fait scandale à l'époque.

Page 211

[6] Alphonse Legros (1837-1899), peintre aquafortiste, imitateur de Courbet, tenu par Baudelaire pour un adepte du réalisme. Il connaît un vif succès quand, établi à Londres, il fréquente les Préraphaélites et se laisse inspirer d'eux.

Page 212

[7] Eugène Lavieille, élève de Corot. Baudelaire en parle de manière tout à fait élogieuse dans son *Salon de 1859* (voir le chapitre VIII sur *Le Paysage*, non repris dans ce volume.)

[8] Achille Devéria (1800-1857), lithographe, peintre et dessinateur romantique, fort apprécié de Baudelaire et évoqué par lui dans tous ses textes sur la peinture.

[9] Louis Boulanger (1806-1867), élève de Devéria, peintre romantique, ami de Victor Hugo, dessinateur de talent qui connaît une certaine popularité grâce à ses illustrations de textes.

SUR *LE TASSE EN PRISON*

Page 215

[10] Ce poème, composé en février 1844, s'inspire du tableau de Delacroix, *Le Tasse chez les fous*, et sera recueilli dans les *Epaves*, en 1866.

Note sur l'établissement du texte

L'intention de Baudelaire était de réutiliser l'ensemble de ses textes critiques en vue d'essais plus cohérents (ses notes, en bas de pages, en témoignent) et de les recueillir en deux volumes distincts, dont l'un fût consacré exclusivement à la critique littéraire et l'autre à la critique d'art.

En 1868 et 1869, un an et demi après sa mort, ses éditeurs, Charles Asselineau et Théodore de Banville, rassemblent indifféremment ces deux sortes d'écrits et les recueillent de façon arbitraire en deux volumes intitulés *Curiosités esthétiques* et *L'Art romantique*. Ce second titre n'est pas de Baudelaire; quant au premier, c'est lui qui l'a choisi, avant de l'écarter expressément, en raison de son allure trop peu sérieuse eu égard à l'importance des sujets traités – Delacroix, entre autres !

En ce qui concerne précisément les écrits sur Delacroix, que nous présentons ici, les uns – le *Salon de 1845*, le *Salon de 1846*, l'*Exposition de 1855* et le *Salon de 1859* – furent recueillis en 1868 dans les *Curiosités esthétiques*, les autres – les *Peintures murales* et *L'œuvre et la vie d'Eugène Delacroix* –, dans *L'Art romantique*, en 1869. Ceci, donc, indépendamment de la volonté de Baudelaire.

Notre propos, ici, fut d'extraire de l'œuvre complète tous les écrits de Baudelaire sur Delacroix et de les regrouper autour du texte central qu'est *L'œuvre et la vie d'Eugène Delacroix*. Cet ensemble d'études se présente moins comme une suite chronologique ou thématique, que comme un cheminement souple à travers la pensée esthétique de Baudelaire. Nous respectons ainsi, mais sans rigueur excessive, l'évolution de sa démarche créatrice.

Pour ce qui est des corrections également, les éditeurs de 1868, pris d'un trop grand zèle et presque trop proches encore du poète, ont eu tendance à se substituer souvent à lui. Nous avons donc choisi comme principe de reproduire ici les textes dans leur version originale, c'est-à-dire la dernière que Baudelaire ait pu revoir ou approuver, et non celle de l'édition posthume. (Seule exception à ce principe : le texte sur l'*Exposition de 1855* (voir la note 1, p. 223).

La critique de Baudelaire étant dans son essence poétique, il nous a semblé intéressant d'introduire les textes sur Delacroix, par le fameux poème des

Fleurs du Mal qui se situe à la croisée de la création poétique et de la critique, et représente un véritable condensé de toutes les passions du poète en matière picturale. (Il en commentera d'ailleurs le huitième quatrain, celui sur Delacroix, dans son texte de 1855).

Quant aux écrits ayant trait plus précisément à l'une ou l'autre œuvre de Delacroix, nous avons préféré les rassembler en fin de volume : ces textes plus immédiatement descriptifs viennent compléter, sous forme de fragments successifs, les études majeures où se développe la pensée esthétique de Baudelaire.

Enfin, nous avons adopté, fidèlement à la tradition, l'orthographe d'usage au XIXe siècle; en particulier : le tréma sur le mot « poëte », le trait d'union entre les mots « très », « non », « ultra » et les termes qui les suivent, l'orthographe du mot « rhythme » et celle du nom de « Shakspeare », courantes au XIXe.

B.D.

Index

Table

Le Regard Littéraire

Collection dirigée par André Versaille

Oscar WILDE

Le déclin du mensonge
Préface de Dominique Fernandez

Julien GRACQ

Proust considéré comme terminus
suivi de
Stendhal, Balzac, Flaubert, Zola

Jules BARBEY D'AUREVILLY

Contre Diderot
Préface de Hubert Juin

Léon BLOY

Sur J.-K. Huysmans
Préface de Raoul Vaneigem

Maurice BLANCHOT

Sade et Restif de la Bretonne

Charles BAUDELAIRE

Pour Delacroix
Préface de René Huyghe,
de l'Académie Française

Thomas MANN

Traversée avec Don Quichotte
Préface de Lionel Richard

Guy de MAUPASSANT

Pour Gustave Flaubert
Préface de Maurice Nadeau

JEAN PAULHAN

Le Marquis de Sade et sa complice
ou
Les revanches de la pudeur

JEAN PAULHAN

Paul Valéry
ou
La littérature considérée comme un faux
Préface de André Berne-Joffroy

Pour Delacroix
de Baudelaire est le
sixième titre de la collection *Le Regard Littéraire.*
Composé en Times, ce texte
a été achevé d'imprimer en avril
mil neuf cent quatre-vingt-dix-huit
sur les presses de l'imprimerie
Campin à Tournai (Belgique)
pour le compte des Éditions
Complexe, sises vingt-
quatre, rue de Bosnie
à mille soixante,
Bruxelles

n°224